KU-575-817

Disney
Violetta

Traduction : Lise Idesheim.
Conception graphique du roman : Marie Drion.

Hachette Livre, 43, quai de Grenelle, 75015 Paris.

Du rêve à la réalité

hachette
JEUNESSE

VIOLETTA
C'est moi ! Après plusieurs années passées à Madrid, je suis de retour à Buenos Aires, ma ville natale. Ma mère, María Saramego, était une célèbre chanteuse. C'est d'elle que me vient mon talent pour le chant. Depuis sa mort, je vis avec mon père, un riche homme d'affaires...
Ma vie a complètement changé depuis que j'habite en Argentine. Je me suis fait des amis extraordinaires et, surtout, j'ai découvert le Studio 21, une école de musique où je peux enfin vivre ma passion !

Papa... Je l'adore, mais parfois, j'aimerais qu'il soit un peu moins protecteur ! Depuis la mort de Maman, il vit dans la peur de me perdre, moi aussi. D'ailleurs, il refuse d'entendre parler de ma passion pour le chant. Il est fiancé à Jade, une fille aussi chic qu'insupportable !

C'est mon professeur particulier depuis mon arrivée à Buenos Aires, et je l'adore ! Elle me comprend mieux que personne et n'hésite pas à prendre ma défense en cas de désaccord avec Papa. Elle est passionnée par le chant, et c'est grâce à elle que j'ai pris conscience de mon talent.

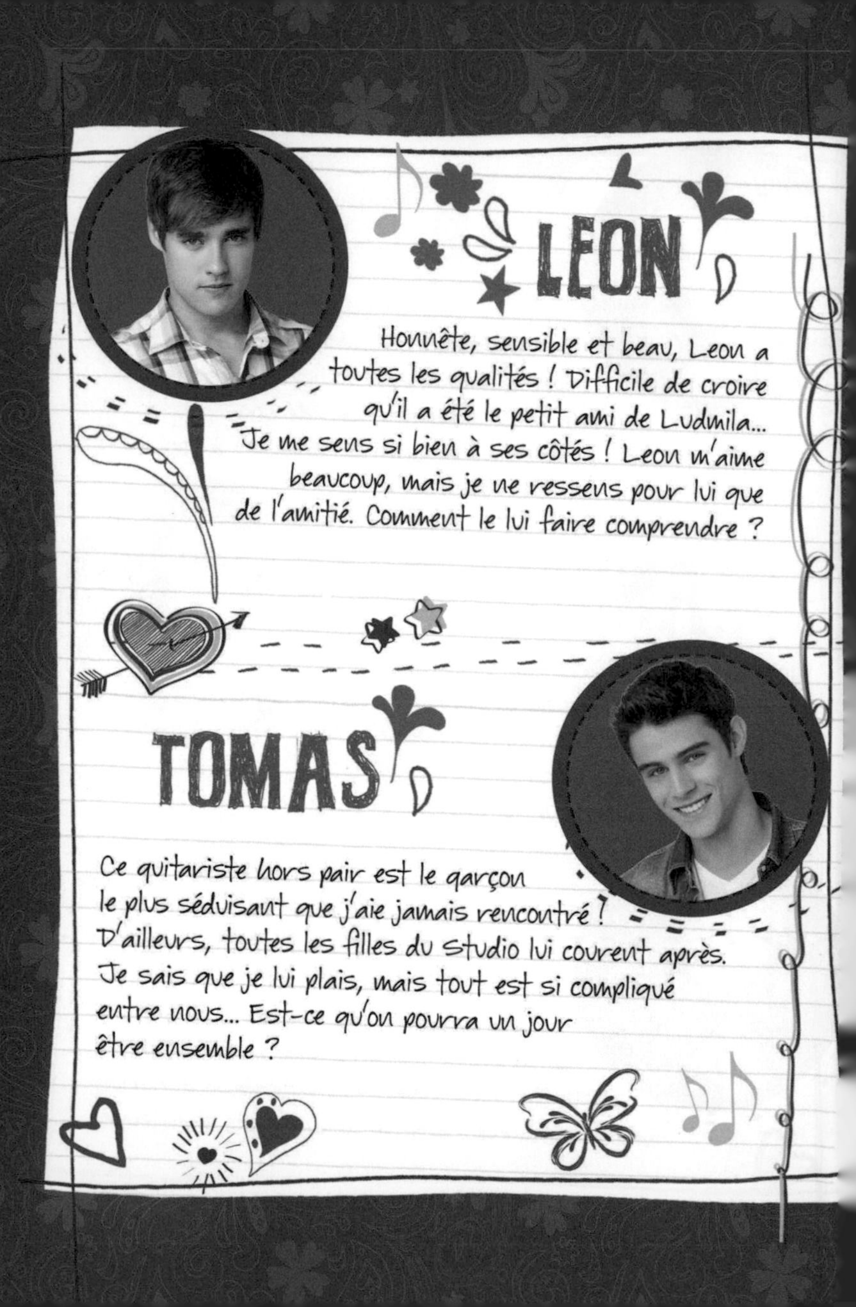
LEON
Honnête, sensible et beau, Leon a toutes les qualités ! Difficile de croire qu'il a été le petit ami de Ludmila... Je me sens si bien à ses côtés ! Leon m'aime beaucoup, mais je ne ressens pour lui que de l'amitié. Comment le lui faire comprendre ?
TOMAS
Ce guitariste hors pair est le garçon le plus séduisant que j'aie jamais rencontré ! D'ailleurs, toutes les filles du Studio lui courent après. Je sais que je lui plais, mais tout est si compliqué entre nous... Est-ce qu'on pourra un jour être ensemble ?

LUDMILA

C'est la peste du Studio 21 ! Manipulatrice et arrogante, elle est prête à tout pour attirer l'attention. Elle ne se sépare jamais de son acolyte, Nata, qui lui obéit au doigt et à l'œil !

FRANCESCA

Intelligente et généreuse, Francesca est ma première véritable amie. Dommage qu'elle aussi soit amoureuse de Tomas... Mais, par amitié, je suis prête à m'effacer pour lui laisser sa chance !

CAMILA

Camila n'a pas sa langue dans sa poche, c'est le moins qu'on puisse dire ! Drôle et extravertie, elle travaille dur pour réaliser son rêve : devenir une grande chanteuse.

BUENOS
AIRES
MADRID

Cher journal,

Je crois que, cette fois, je suis vraiment dans le pétrin...

Le Studio a organisé une émission de téléréalité qui mettra en compétition huit élèves pour désigner le meilleur. Le gagnant enregistrera un CD et un clip vidéo, avant de s'envoler pour une grande tournée. Tu imagines bien que je ne voulais pas y participer. C'est déjà suffisamment difficile de cacher à mon père que je vais au Studio tous les jours. Alors, garder le secret avec des caméras qui me filment sans arrêt pour une émission diffusée sur Internet... c'est totalement impossible !

Pourtant, Ludmila m'a tellement fait enrager que j'ai fini par m'y inscrire. Comme Papa était en voyage d'affaires, j'ai pensé qu'il n'en saurait rien

et que je pourrais ainsi voir ce que je vaux en tant qu'artiste. Mais il est rentré plus tôt que prévu, et tout est devenu beaucoup plus compliqué : alors que je ne m'y attendais pas... j'ai été choisie parmi les huit finalistes !

Maintenant, je ne peux plus faire marche arrière. Je me sens à la fois excitée et effrayée. Excitée, parce qu'une émission comme celle-ci est très importante quand on veut se consacrer entièrement à la musique ; et effrayée, parce que si Papa découvre ce que je fais, il ne me le pardonnera jamais !

J'ai promis à Leon que si je gagnais, j'avouerais tout à mon père. Mais je ne suis pas certaine d'y arriver...

Que faire, cher journal ?

Lorsque Luca annonce que je suis la dernière candidate sélectionnée pour l'émission de téléréalité, je ne sais pas trop comment réagir. D'un côté, c'est fantastique de constater que je ne me suis pas trompée, que je suis faite pour chanter… Mais de l'autre, participer à *Talent 21*, c'est une véritable folie ! Papa va finir par tout découvrir, et il sera furieux quand il apprendra que je lui ai menti...

Mes amis doivent me pousser pour que je monte sur scène avec les autres nominés : Leon, Nata, Ludmila, Federico, Maxi, Tomas et Francesca. Je ressens une immense émotion... qui se transforme vite en panique dès que la caméra se braque sur moi ! Mon père est un homme très occupé, et il est peu probable qu'il regarde ce genre d'émission sur Internet. Mais, avec la chance que j'ai ces derniers temps et vu que je suis entourée de vipères prêtes à tout pour m'empoisonner la vie, il y a de grands risques que ça tourne mal !

Pendant que Marotti, le producteur de l'émission, interviewe les autres candidats sélectionnés, je passe en revue tout ce qui pourrait aller de travers. Federico, l'étudiant italien qui habite chez nous, ne sait pas mentir. À tout moment, la vérité peut lui échapper devant mon père. Quant à Jade, la fiancée de Papa, elle cherche à le monter contre moi. Certes, nous avons fait un pacte : Jade ne raconte pas à mon père que j'étudie la musique, et moi, je ne dis rien sur le fait que Matias, le frère de Jade, est assigné à résidence par la police. Toutefois, je suis sûre qu'elle va utiliser cette information pour me mettre des bâtons dans les roues…

Et puis, bien entendu, il y a Ludmila. Depuis le premier jour, la diva blonde du Studio ne me supporte pas. Elle est capable de tout pour me faire échouer. Elle a déjà essayé de m'empêcher de participer à l'émission de téléréalité en déchirant mon bulletin d'inscription.

— Alors, Violetta, comment te senstu ? me demande tout à coup Marotti, accompagné du cadreur.

Prise de panique, je bredouille quelques mots avant de m'enfuir au fond de la scène.

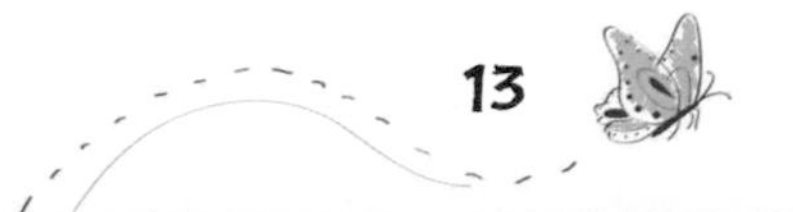

— Elle est très nerveuse, explique Leon en tentant de me cacher.

Lorsque les caméras s'éteignent enfin, Marotti et les professeurs nous félicitent.

— C'était très bien, commence Marotti. Mais le meilleur reste à venir ! Vous allez être filmés tous les jours, pendant que vous étudierez, répéterez, mangerez… Et n'oubliez pas d'y mettre un peu de piment !

— Enfin, sans exagérer non plus ! intervient Antonio, le fondateur et propriétaire du Studio. Je ne veux pas que les spectateurs se fassent de fausses idées sur l'école. Rappelez-vous que vous êtes ici pour apprendre !

Depuis quelque temps, il semblerait que les professeurs ne soient pas satisfaits de la façon dont se déroule l'émission. C'est Gregorio, notre nouveau directeur, qui a eu l'idée de contacter le site Internet You Mix pour redorer l'image du Studio. Selon lui, l'école aurait perdu de sa renommée à cause du spectacle organisé par Pablo, notre professeur préféré.

— Ce qu'Antonio veut dire, ajoute Gregorio avec le petit rire qu'il utilise pour faire bonne impression à Marotti, c'est qu'il va falloir travailler dur. Pour la prochaine étape, vous allez devoir réaliser une chorégraphie de groupe, puis vous chanterez en solo un morceau du grand artiste Rafa Palmer. Un jury de professionnels et le public pourront voter. Les quatre participants qui obtiendront le moins de points seront éliminés du concours. C'est bien compris ?

Tout le monde acquiesce. Une fois la réunion terminée, nous quittons la scène, complètement épuisés, mais aussi très nerveux.

Les autres élèves nous attendent pour nous féliciter mais, à vrai dire, ils ont l'air terriblement déçu de ne pas avoir été sélectionnés. Comment se réjouir quand

certains de nos meilleurs amis, comme Camila, Braco, Napo ou Broadway, paraissent si abattus ?

— Les enfants ! nous interpelle Antonio. Ne faites pas cette tête ! Il n'y a ni gagnant ni perdant.

— Vous avez tout à fait raison ! s'exclame Ludmila. La seule gagnante, ce sera moi !

— Voilà exactement ce que je voulais éviter : que certains deviennent prétentieux ! soupire Antonio. Vous êtes tous venus ici pour étudier. Quelques-uns auront du succès très vite. Pour d'autres, ce sera plus long. Mais je suis sûr que vous réussirez tous, sans exception. Vous ne devez pas cesser d'y croire !

Tandis qu'Antonio et les professeurs quittent la salle, Leon s'approche de moi.

— Tu as l'air si stressée... Ne t'inquiète pas ! Je suis certain que ton père n'en saura rien.

— Il n'est pas trop tard pour tout arrêter, intervient Federico.

— Non ! s'exclame Francesca. Violetta ne peut pas renoncer !

Aussitôt, tous se mettent à donner leur avis. À bout de nerfs, je finis par pousser un grand cri pour les faire taire et quitte la pièce précipitamment.

Leon me rejoint à l'extérieur.

— Je comprends ton inquiétude, mais n'oublie pas que tu peux compter sur moi, me dit-il en me prenant dans ses bras.

Il n'y a pas de doute : sortir avec Leon est la meilleure chose qui me soit arrivée !

J'y ai bien réfléchi toute la nuit et, ce matin, je suis déterminée à dire la vérité à Papa. Alors que je m'apprête à frapper

à la porte de son bureau, bien décidée à tout lui avouer et à en accepter les conséquences, je le surprends en pleine discussion avec Federico.

— Tu sais que ta mère et moi sommes très amis, Federico, explique mon père. Dès qu'elle m'a annoncé que tu allais venir étudier ici, je lui ai tout de suite proposé de t'accueillir chez moi.

— Je vous en remercie, Germán. Je m'y sens très bien...

— J'en suis ravi ! Toutefois, si je voulais te voir, c'est pour t'expliquer les règles en vigueur sous ce toit : je ne veux pas entendre chanter dans cette maison. C'est pour Violetta. Tu sais que sa mère était une célèbre chanteuse et qu'elle est décédée au cours de sa dernière tournée... Je ne veux pas que ma fille suive ses pas.

— Violetta n'a pas le droit d'aimer la musique ? l'interroge Federico, surpris.

— Non, ce serait très douloureux pour nous tous. Alors, s'il te plaît, ne l'encourage pas à chanter.

Lorsque Federico sort du bureau, il me regarde en secouant la tête.

— Tu as raison, murmure-t-il. Il vaut mieux ne rien lui dire…

Le tournage de *Talent 21* se poursuit. Tout cacher à mon père n'est vraiment pas facile. Au Studio, les caméras nous suivent partout, et Marotti n'arrête pas de nous questionner sur notre vie privée, en toute indiscrétion.

— Le public sait ce qu'il veut ! Nous devons lui donner des sujets croustillants pour qu'il devienne accro à l'émission. Avec une école pleine de garçons et de filles, il devrait y avoir de quoi faire !

Participer à une émission de téléréalité se révèle plus dangereux que ce que j'imaginais. Avec des caméras installées dans toutes les pièces, il n'est pas facile d'y échapper.

Peu à peu, d'étranges enregistrements apparaissent sur le site Internet de You Mix : on y entend Federico se moquer de Leon, tandis que celui-ci se montre méprisant à l'égard des nouveaux. Et que dire de la vidéo sur laquelle on me voit dans les bras de Tomas, dans la salle de musique !

C'était pourtant innocent : j'étais déprimée et Tomas a voulu me réconforter. Mais les images ont été montées de telle façon qu'on croirait que Tomas et moi sortons ensemble.

Aussitôt après avoir découvert l'enregistrement, je cours à la recherche de Leon pour lui expliquer ce qu'il s'est vraiment passé avant qu'il n'en tire des conclusions hâtives. Mais comme Leon et Tomas sont en concurrence depuis le début, j'imagine que c'est la goutte d'eau qui a fait déborder le vase.

— Ça ne peut plus continuer comme ça, Violetta ! me dit Leon en me tendant la tablette sur laquelle la vidéo passe en boucle. Nous devons rompre.

— Mais Leon, je ne...

— Non, je ne veux rien entendre. J'en ai assez de passer mon temps à essayer de savoir si tu ressens encore quelque chose pour Tomas. L'amour ne devrait pas être aussi compliqué.

À cet instant, Tomas fait irruption dans la pièce. Il tente de s'expliquer, mais sa défense n'est pas très claire. Et voilà qu'à présent, Ludmila arrive en trombe.

— Combien de fois dois-je te demander d'arrêter de courir après Tomas ? me crie-t-elle, furieuse.

— Ludmila, ce n'est pas ce que tu crois, insiste Tomas.

— Tu imagines vraiment que tu vas me faire avaler ça ? s'exclame-t-elle. Ça fait à peine un jour qu'on a rompu et tu te jettes déjà dans les bras de cette…

Ludmila doit être à court de mots, car elle tape du pied et s'en va. Tomas quitte la salle à son tour. Leon et moi nous retrouvons enfin seuls. Après toute cette agitation, je me rends compte qu'il n'a peut-être pas tort. Notre relation est pleine de malentendus et de douleur.

— Tu as sans doute raison, je murmure, prête à pleurer. Je crois qu'il vaut mieux qu'on se sépare et qu'on arrête enfin de se faire souffrir.

— C'est sûrement mieux comme ça, répond Leon en se dirigeant vers la porte.

Je me retrouve seule, le cœur brisé.

Comme chaque fois que je suis triste, je me réfugie dans le journal de Maman. Lire ses pensées m'apaise. Même loin de moi, elle me donne toujours de bons conseils.

Mais ce soir, plus que des conseils, c'est une énorme surprise qui m'attend. En haut d'une page, Maman souhaite un bon anniversaire à… sa sœur Angeles !

Je cours à toute vitesse jusqu'au bureau de Papa et entre sans frapper.

— J'ai une tante ! je lui lance aussitôt, l'interrompant en pleine conversation avec Ramallo et Angie. Pourquoi tu ne m'as rien dit ? Je croyais que Maman n'avait plus de famille…

Mon père reste bouche bée. Il me regarde quelques instants sans savoir quoi faire, puis il reprend ses esprits.

— Je ne savais pas… Enfin, si… Je pense qu'il s'agit de la fille que ta grand-mère a eue d'un premier mariage. C'est une histoire assez compliquée. Ta mère et elle ne s'entendaient pas très bien. C'est pour cette raison que j'ai préféré me taire.

— Pourtant, elle a l'air de beaucoup

l'aimer, dans son journal ! je réplique en le fixant droit dans les yeux. Papa, je veux la rencontrer. Cherche-la, s'il te plaît !

Mon père pousse un grand soupir et finit par accepter.

— Très bien... Mais ne te fais pas trop d'illusions. Je ne voudrais pas que tu sois déçue si ça se passe mal.

BUENOS
AIRES
MADRID

Beaucoup de choses ont changé depuis que l'émission de téléréalité a commencé. Tout semble aller de plus en plus mal. Je ne parle pas que de mon état de stress et de ma rupture avec Leon. La tension monte aussi entre mes amis. Avant les épreuves éliminatoires, Maxi sortait avec Nata, la meilleure copine de Ludmila (ou plutôt sa bonne à tout faire).

Du coup, Nata s'est éloignée de Ludmila. Ça nous a permis d'apprendre à mieux la connaître et de découvrir que c'est une fille douce et pleine de talent. Mais lorsque le concours a débuté, Ludmila a tout fait pour attirer de nouveau Nata à ses côtés. À présent, Maxi déambule dans les couloirs du Studio en pleurant sur son amour perdu.

Par ailleurs, Francesca et Maxi se sont fâchés à cause d'une vidéo sur laquelle mon amie donnait l'impression d'être prête à tout pour gagner. Maxi en a été si contrarié qu'au lieu d'aller lui demander des explications, il a entamé une campagne pour la discréditer.

Bien évidemment, lorsque Francesca l'a appris, elle a fait la même chose. Voir deux si bons amis se disputer à cause d'une odieuse vidéo a fini par diviser notre groupe, chacun prenant parti pour l'un ou pour l'autre.

Malgré tout, le spectacle doit continuer, et le jour des éliminatoires est arrivé. Nous montons sur scène pour réaliser la chorégraphie de groupe, puis chacun interprète individuellement la chanson de Rafa Palmer.

Les dés sont jetés.

Que d'émotions en attendant les votes ! Le jury est constitué de Gregorio, en tant que représentant des professeurs,

et de Rafa Palmer, pour You Mix. Luca, le frère de Francesca et présentateur de l'émission, nous appelle les uns après les autres pour monter sur scène et annonce les résultats. J'obtiens dix-huit points, soit un de plus que Ludmila.

Le coup est dur pour les quatre candidats qui se retrouvent en bas du classement : Maxi obtient douze points, tandis que Nata, Francesca et Federico sont à égalité avec treize points. C'est maintenant au tour du public de voter. Les spectateurs ont toute la journée pour choisir les quatre demi-finalistes.

La tension est à son comble. Camila fond en larmes lorsque Francesca se fâche contre elle, l'accusant d'avoir pris la défense de Maxi. Mais, heureusement, il ressort une belle histoire de tout ce drame.

En effet, Camila me raconte qu'après être partie en courant du Studio, Broadway est allé la rejoindre dans le parc, où

elle s'était réfugiée. Broadway est l'un des garçons les plus beaux de l'école. Francesca et Camila avaient toutes les deux des vues sur lui lorsqu'il est arrivé au Studio. Mais, pour préserver leur amitié, elles avaient décidé de ne pas se disputer pour un garçon.

J'imagine qu'aucune des deux n'avait pensé à la possibilité que ce soit le garçon en question qui décide ! Pourtant, Broadway a choisi Camila. Il lui a avoué qu'il l'avait remarquée depuis le premier jour et il lui a proposé de sortir avec lui. Bien évidemment, Camila n'a pas hésité une seule seconde : elle en mourait d'envie !

Pendant que notre amie vit le moment le plus romantique de sa vie, Francesca et moi surfons sur le site de You Mix.

— Quel stress ! s'exclame Francesca en consultant les profils des huit participants. Je sais que je fais partie des derniers, mais il manque le vote du public. J'ai encore une chance d'être sauvée !

— Il ne faudrait pas non plus que ça tourne à l'obsession, je remarque, la tête ailleurs.

— Tu dis ça parce que tu es en tête du classement. D'ailleurs, tu es celle qui a obtenu le plus de visites et…

Je me retourne. Mon amie fixe l'écran de son ordinateur portable, bouche bée.

— Que se passe-t-il ?

— Ton score… Pour le moment, c'est toi qui as reçu le moins de votes. Pourtant, ton profil est le plus visité…

Ce détail attire mon attention. Ensemble, nous recherchons les dernières vidéos publiées pour tenter de trouver une explication.

— Oh, non ! s'exclame Francesca. Tu te rappelles qu'hier, Camila, toi et moi avons imité Ludmila. Eh bien, un certain Supernova151 nous a filmées… et a mis la vidéo en ligne !

Mon amie tourne l'ordinateur vers moi et lance l'enregistrement. On m'entend parler d'une façon très hautaine : « Mais qu'est-ce que tu es laide, aujourd'hui, Francesca ! Heureusement que je ne suis pas comme toi ! Je suis naturellement douée… » Tandis que je prononce ces mots, on me voit rejeter mes cheveux en arrière, exactement comme Ludmila.

— Incroyable ! Tel qu'ils ont monté la vidéo, on dirait que tu parles vraiment comme ça, alors qu'en réalité, tu imitais Ludmila, murmure Francesca.

— C'est terrible ! je gémis. Personne ne va voter pour moi ! J'ai l'air de… Ludmila !

Le pire, c'est que désormais, à l'entrée du Studio, tout le monde m'ignore. Ceux qui, hier encore, me demandaient un autographe me traitent à présent de « prétentieuse » et de « mauvaise amie ».

Évidemment, Marotti est ravi de cette histoire. Il nous suit partout avec ses caméras, bien décidé à nous filmer aux pires moments. Ses vidéos ne font que nous monter les uns contre les autres. On est tous tellement nerveux que cet après-midi, alors que mes amis prennent ma défense devant des fans en colère, on finit par se disputer.

— Ça suffit ! crie Broadway en séparant Maxi et Francesca.

C'est si bizarre de l'entendre hausser le ton que tout le monde se tait.

— Mais qu'est-ce qu'il nous arrive ? s'exclame-t-il en nous regardant à tour de rôle. À force de nous quereller, on ne parvient même pas à aider Violetta ! Ils essaient de nous diviser et, nous, on les laisse faire. Vous ne vous rappelez pas qu'ensemble, nous étions plus forts ?

On se regarde tous, honteux.

— Broadway a raison, intervient Francesca en allant embrasser Maxi.

Quel soulagement de les voir réconciliés !

Ce soir, seule dans ma chambre, je réalise que je ne peux pas toujours compter sur mes amis pour me tirer d'affaire.

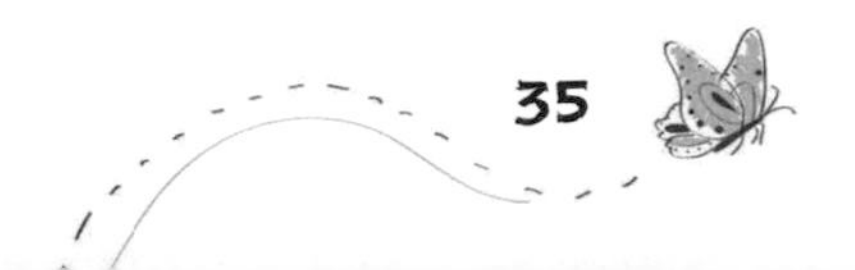

Il me reste une solution pour tenter de réparer les dégâts causés par l'enregistrement de Supernova151. Après mûre réflexion, j'allume mon ordinateur portable et commence à tourner ma propre vidéo.

— Bonjour ! C'est Violetta…

Je fais une pause, pas très sûre de moi, puis je prends une profonde inspiration et continue.

— Lorsque je chante, peu importe ce qu'il se passe autour de moi. Je sens que tout est possible. Je retrouve de l'espoir, et tous mes chagrins disparaissent tant que la musique résonne…

Je souris en pensant à ce que je viens de dire.

— Beaucoup d'entre vous l'ont déjà ressenti, même si vous n'êtes pas célèbres ni entourés de fans. Vous savez qu'en chantant, on éprouve une grande émotion. Et quand cette

émotion touche le cœur de quelqu'un que vous ne connaissez pas, c'est magique ! La musique nous réunit, nous rend égaux. Pour moi, c'est tout ce qui compte.

Je m'arrête quelques instants avant de reprendre.

— Je reconnais avoir dit ce que vous avez entendu sur la vidéo. J'imitais une autre personne pour me moquer d'elle. Mais, croyez-le ou non, je ne suis pas cette...

Je secoue la tête, tristement.

— Je sais que ce que j'ai fait n'est pas bien, je le regrette sincèrement... Et je regrette aussi que, dans cette émission, seuls les scandales aient de l'importance, plutôt que les efforts que nous faisons pour progresser.

Je soupire, libérée d'un énorme poids.

— Voilà, c'est tout. Merci de m'avoir écoutée et... pardonnez-moi !

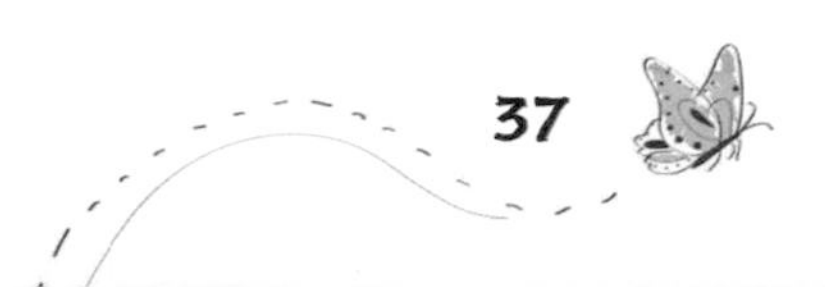

Ce matin, mes amis me félicitent pour la vidéo que j'ai publiée sur le forum de You Mix. Malheureusement, tout le monde n'apprécie pas mon élan de sincérité. Marotti, le producteur de l'émission, m'interpelle au milieu du couloir.

— Violetta, j'aimerais te parler, murmure-t-il sur ce ton mielleux qui n'augure rien de bon. J'ai vu ta vidéo. Tu y dis des choses très jolies…

Je souris, soulagée. Je m'apprête à le remercier lorsque, soudain, son visage se décompose. Il se met presque à crier.

— Mais c'est très mal, ce que tu as dit sur le concours ! Cette émission te donne une vraie chance, tout comme aux autres, d'ailleurs. Vous avez tous accepté d'être exposés. Que se passe-t-il ? À présent, tu redoutes les conséquences de tes propres actes ?

— Non ! je m'exclame, furieuse. Ce que je n'accepte pas, ce sont toutes vos

manipulations pour gagner toujours plus d'audience ! Je suis là pour chanter, et uniquement pour ça !

Marotti se met à bégayer. Je crois qu'il ne s'attendait pas à ce que quelqu'un lui tienne tête. Mais il se reprend aussitôt et lance :

— Si je ne te renvoie pas, c'est parce qu'après ce que tu as fait, je suis persuadé que le public va s'en charger !

Visiblement, Marotti avait raison. Lorsqu'il nous réunit pour nous annoncer les résultats, je suis… en cinquième position ! Seuls Leon, Ludmila, Tomas et Federico accèdent à la demi-finale.

L'émission s'arrête là pour moi.

BUENOS
AIRES
MADRID

— Parfait ! Le jury et le public ont désigné les demi-finalistes ! s'exclame Luca. Ludmila, Tomas, Leon et Federico vont donc concourir pour que soient déterminés les deux finalistes de *Talent 21*. Ils présenteront une nouvelle chanson pour que vous puissiez les départager. Rappelez-vous qu'il ne restera qu'un seul gagnant, qui enregistrera un CD, un clip vidéo, et qui donnera un grand concert ! Vous pouvez les applaudir !

Pendant que Marotti et son équipe publient la vidéo des résultats sur Internet, nous félicitons les gagnants. Je me sens un peu soulagée. D'une certaine manière, tout cela va mettre un terme à mes problèmes. Au moins, Papa ne découvrira pas ce que je fais au Studio.

Mais, alors que je pensais enfin pouvoir me détendre, il se passe un événement terrible. Andrés surprend une conversation entre Gregorio et Broadway, et découvre que, durant tout ce temps, celui que nous pensions être notre ami était l'espion du directeur. Il lui racontait tout. C'est pour cela que Gregorio semblait toujours connaître nos plans !

Les garçons s'empressent de demander des explications à Broadway. Celui-ci finit par avouer et abandonne le groupe. La plus touchée, c'est Camila : elle est complètement abattue !

Au même instant, Federico nous rejoint pour nous apprendre une incroyable nouvelle.

— Vous ne devinerez jamais ! Tomas a trouvé le téléphone portable de Ludmila près de son casier et il a découvert la vidéo en entier. C'est elle qui l'a enregistrée, mais elle n'a mis en ligne que ce qui l'intéressait ! Tomas est rentré dans une colère noire ! Il a publié la totalité de l'enregistrement sur le forum de You Mix pour que tout le monde comprenne qui tu es vraiment, Violetta.

— Peu importe, à présent, je dis en haussant les épaules. Les votes sont clos et je suis éliminée.

Ce soir, en rentrant des cours, Federico vient dans ma chambre.

— Il faut que tu voies quelque chose ! me dit-il en allumant mon ordinateur et en se connectant sur le site de You Mix.

Luca apparaît à l'écran, au côté de Ludmila, Leon, Tomas et Federico.

— À présent, nous allons découvrir quelle épreuve attend nos quatre demi-finalistes, explique-t-il en passant le micro à Gregorio.

— D'abord, félicitations à tous ceux qui sont arrivés jusque-là ! commence le directeur. Mais je dois vous prévenir que la prochaine étape sera encore plus difficile. Vous devrez interpréter une chanson tout en vous accompagnant de l'instrument de votre choix.

Soudain, la caméra se braque sur Leon, qui réclame la parole.

— Je tiens à préciser une chose, annonce-t-il. Violetta a été expulsée injustement.

Ludmila proteste immédiatement.

— Leon, ce qui est fait est fait, et on ne peut pas revenir en arrière !

— Non, Ludmila ! Leon a raison, la coupe Tomas. Celle qui devrait être dehors, c'est toi. Tu as mis en ligne une fausse vidéo pour lui nuire.

— Silence ! intervient Marotti, nerveux.

Gregorio se tourne vers lui et plaque le micro devant sa bouche. Après quelques secondes très tendues, le producteur de l'émission réussit à parler.

— Il est temps d'éclaircir un peu les choses ! L'enregistrement de Violetta a été publié sur le forum. La responsabilité de You Mix n'est donc pas engagée. Par ailleurs, depuis, la vidéo originale a été mise en ligne dans son intégralité. Par conséquent, maintenant, tout est clair !

— Le plus juste serait de recommencer le vote, insiste Leon.

Mais Marotti ne veut rien entendre.

— Je suis désolé, mais ce n'est pas prévu dans le règlement, répond-il.

— Est-ce que le règlement explique ce qu'il faut faire si l'un des participants abandonne ? poursuit Leon.

Le silence tombe dans la salle. Visiblement, personne ne s'y attendait. Finalement, Marotti reprend la parole.

— Si l'un des quatre candidats déclarait forfait, le cinquième devrait prendre sa place.

Ludmila se met à rire.

— Eh bien, moi, je vous préviens que je n'ai pas l'intention de laisser ma place ! s'exclame-t-elle.

— Toi non, mais moi, oui ! la coupe Leon.

Il arrache le micro des mains de Gregorio et fixe la caméra.

— J'abandonne ! Violetta est cinquième. C'est elle qui devrait être ici, pas moi.

J'en reste bouche bée et referme mon ordinateur portable d'un coup sec.

— Pourquoi est-ce qu'il a fait ça ? je m'exclame. Leon aurait pu gagner !

— Parce qu'il t'aime, me répond Federico. La seule chose qu'il veut gagner, c'est ton amour.

Au même moment, mon téléphone se met à sonner. C'est Leon. Federico quitte la pièce pour me laisser répondre tranquillement.

— Pourquoi as-tu fait ça ? je lui demande aussitôt.

— Je n'ai fait que ce que je pensais juste, Violetta.

— Mais je n'avais aucune envie de revenir ! Ce concours ne m'apporte que des problèmes.

— Alors, abandonne, toi aussi ! Pourquoi es-tu si fâchée contre moi ?

— Leon, tu sais ce que je ressens pour toi, et ça me fait très mal de m'éloigner. Quand tu fais ce genre de chose, je n'ai qu'une envie, c'est courir me jeter dans tes bras ! Mais je ne le ferai pas, parce qu'on sait, tous les deux, que ça ne peut pas marcher...

Je suis trop triste pour continuer cette conversation. Je préfère raccrocher. Presque immédiatement, mon téléphone sonne de nouveau. Cette fois, c'est Marotti. Il m'appelle pour m'annoncer mon retour dans l'émission.

— Je suis vraiment désolée, mais ça

ne m'intéresse pas, je lui réponds. Je ne veux plus en faire partie.

Je raccroche une seconde fois. Ouf, un problème en moins !

Ce matin, je décide de prendre ma journée : pas de caméras, pas de cours, rien de rien ! Enfin, presque... Comment aurais-je pu imaginer que Marotti viendrait jusque chez moi avec le caméraman ?

— Violetta, tu as fait exploser l'audimat ! s'écrie le producteur. Tu dois revenir !

— Non merci ! je réplique en le poussant et en essayant de refermer la porte. Il n'en est pas question. Sortez de chez moi !

— Je te demande pardon, si je n'ai pas été correct. Le public est fou de toi ! Tu es la seule à pouvoir arranger les choses au Studio…

— Tout ce que je veux, c'est chanter !

— Nous aussi, c'est ce que nous voulons. Je ne bougerai pas d'ici tant que tu n'auras pas accepté de revenir, conclut Marotti en croisant les bras.

Je jette un œil à l'intérieur, nerveuse. J'entends mon père qui approche…

— D'accord, je reviens. Mais, maintenant, partez ! je supplie, complètement désespérée.

Pendant que je me débats avec Marotti, Camila souffre encore à cause de Broadway. Découvrir qu'il était l'espion de Gregorio l'a beaucoup blessée.

Heureusement, tout n'est pas aussi dramatique au Studio. Quelqu'un a rempli d'eau le casier de Ludmila. Lorsque celle-ci l'a ouvert, elle s'est retrouvée trempée des pieds à la tête. Luca et un caméraman étaient tout près, ils ont donc pu tout filmer. À présent, c'est l'une des vidéos les plus regardées sur Internet. Et c'est aussi la plus drôle !

Mais les professeurs n'ont pas trouvé

cela aussi amusant que nous. Antonio et Pablo ont passé un savon à tous les élèves. Je n'y étais pas, mais lorsque j'arrive au Studio, je tombe sur Gregorio qui condamne devant les caméras ce qui est arrivé à Ludmila.

— Nous voulons que tout le monde sache que nous n'acceptons pas ce genre de comportement et que nous ferons tout notre possible pour trouver le coupable ! déclare-t-il au moment où j'entre dans la pièce. Par ailleurs, nous avons une autre nouvelle à annoncer. Suite à l'abandon de Leon, nous avons décidé que Violetta prendrait sa place.

Il n'a pas l'air très enthousiaste. N'ayant aucune envie de me joindre à l'agitation générale, je reste à l'écart tandis que Marotti prend la parole.

— Nous avons également décidé de changer le déroulement du concours pour permettre aux éliminés de voter.

Cette fois, c'est vous qui allez choisir les finalistes ! s'exclame-t-il en nous montrant du doigt.

On se regarde tous les uns les autres, stupéfaits, sans bien comprendre ce qu'il vient de se produire.

Ce soir, je me sens malheureuse, et pas seulement parce que Leon me manque.

— Tu fais une de ces têtes ! Que se passe-t-il ? m'interroge Angie en entrant dans ma chambre.

— Rien. Enfin si… Depuis que j'ai découvert dans le journal de Maman que j'ai une tante, je ne peux pas m'empêcher de penser à elle. Je me demande comment elle est, si elle pense à moi…

— J'en suis certaine, me répond Angie, tendrement.

— Mais si je compte pour elle, pourquoi n'a-t-elle pas essayé de me voir ?

Angie garde le silence pendant quelques secondes, puis elle secoue la tête en souriant tristement.

— Violetta, je suis persuadée que ta tante t'aime beaucoup. Si elle n'a pas encore pris contact avec toi, c'est que quelque chose d'important a dû l'en empêcher.

Je la regarde, pleine d'espoir.

— Tu crois que je finirai par la rencontrer ?

— J'en suis sûre, Violetta.

Angie réussit toujours à m'apaiser. Si elle n'était pas là, je ne sais pas ce que je deviendrais.

Ce matin, Ludmila, la Tarentule comme on aime l'appeler, commence à tisser sa toile. Elle discute avec chacun des huit candidats de *Talent 21* pour essayer d'obtenir sa voix.

— Cette fille ne doute de rien ! s'exclame Francesca en entrant dans le Studio. Elle veut que je vote pour elle ! Tu te rends compte ? Moi !

J'éclate de rire. Ludmila n'est vraiment pas très perspicace pour choisir ses alliés. Quand j'ai fait leur connaissance, en début d'année, Tomas était livreur au Resto Band, le restaurant de la famille de Luca et Francesca. Mon amie et lui étaient très proches. D'ailleurs, je sais que Francesca était amoureuse de Tomas. Quand Ludmila l'a découvert, elle s'en est prise à elle jusqu'à ce qu'elle s'éloigne de lui.

— Nous sommes repartis de zéro avec Tomas, m'avoue Francesca. Depuis qu'il a rompu avec Ludmila, on est de nouveau très amis.

Je sens qu'elle ne me dit pas tout.

— Et toi, tu veux être son amie ? je lui demande.

— Ce n'est pas la question, répond-elle en soupirant tristement. C'est juste qu'il n'arrête pas de me parler des autres filles, de me prendre dans ses bras. Et moi… je ressens encore quelque chose pour lui.

Ça me fait mal de l'avoir si près de moi en l'entendant parler des autres.

Je comprends mon amie mieux que jamais. Moi aussi, je me sens bizarre lorsque je suis à côté de Leon.

— Tu vas le lui dire ? j'interroge Francesca.

— Je n'ai pas le choix ! Je veux qu'on soit amis. Mais qu'il prenne autant de libertés me fait mal, d'autant plus que je sais qu'il ne ressent pas la même chose pour moi.

Camila nous rejoint.

— Les filles, vous ne savez pas ce qu'il s'est passé ? s'écrie-t-elle, tout excitée.

D'une traite, elle nous raconte que Broadway l'a entendue expliquer à Maxi que c'était elle qui avait versé de l'eau dans le casier de Ludmila.

— Tu es géniale ! je l'interromps en riant.

— Euh, oui… Mais imaginez ma tête lorsque j'ai vu Broadway se diriger tout droit vers le bureau de Gregorio. J'ai cru qu'il allait me dénoncer ! Du coup, je l'ai suivi et j'ai écouté derrière la porte. Vous savez ce qu'il a dit ? Que c'était lui le responsable de cette histoire ! Il a pris le risque de se faire renvoyer pour moi !

Francesca et moi nous regardons. C'est tout juste si nous n'applaudissons pas.

— Tu vois qu'il t'aime vraiment ! soupire Francesca, émue.

— Oui… Mais je ne peux pas oublier qu'il était l'espion de Gregorio.

Je les serre dans mes bras en riant.

— Les filles, en matière d'amour, nous sommes des désastres ! je leur dis.

Aujourd'hui, c'est la demi-finale. J'arrive au Studio en me traînant, épuisée.

J'ai très mal dormi et, en plus, je suis sur les nerfs à cause de l'épreuve. Je vais interpréter ma chanson en m'accompagnant au piano, mais je ne sais pas si je vais y arriver.

Toutefois, même à moitié endormie, je me rends compte d'une chose : quand Tomas chante, il ne cesse de regarder Francesca droit dans les yeux. S'est-il passé quelque chose entre eux ? Quant à Ludmila, elle est verte de jalousie !

Bien entendu, c'est moi qui en subis les conséquences. Juste avant de monter sur scène, Ludmila vient me souhaiter bonne chance. Enfin, à sa façon…

— Pourvu que tu chantes faux ! me lance-t-elle. Quand j'aurai gagné et que je sortirai un album, je te dédicacerai une chanson intitulée « Née pour échouer ».

— Si tu continues comme ça, la seule chose que tu vas pouvoir enregistrer, c'est une autre pub pour les cochons, je réplique assez vertement.

Leon, qui s'est approché de nous, se met à rire. Il s'assied à côté de moi pendant que Ludmila s'éloigne.

— Ne fais pas attention à elle ! Elle cherche à te rendre nerveuse.

— Et toi, que veux-tu ? je lui demande, méfiante.

— Te souhaiter bonne chance.

Je suis troublée.

— Ne me fais pas ça, Leon… je murmure, avec un petit rire bête.

— Si je peux te serrer dans mes bras pour que tu brilles comme tu le fais si bien, alors…

Leon m'enlace, et c'est comme si tous nos malentendus avaient disparu. Pendant un instant, j'ai l'impression que tout va s'arranger. Quand je monte sur scène, je fais de mon mieux, sous le regard de Leon.

J'imagine que la chanson que j'interprète a parfaitement reflété mes émotions car à la fin, lorsque Luca annonce les deux finalistes, je découvre que mes camarades ont voté pour Federico... et moi !

Je suis si contente ! Mes amis et les professeurs m'ont choisie pour mon talent, Francesca semble être sur le point de pouvoir enfin vivre son histoire d'amour avec Tomas, et Camila s'est réconciliée avec Broadway. Peut-être que l'amour est enfin de retour au Studio !

C'est alors que j'aperçois Leon en train de discuter avec Ludmila et Nata. Il me tourne le dos. Je ne veux pas les interrompre, même si je meurs d'envie de lui parler.

Au moment où j'arrive à leur hauteur, j'entends Ludmila lui demander :

— Leon, rappelle-moi ce que tu disais

de Violetta lorsqu'elle est arrivée au Studio ? Que tu ne la supportais pas, c'est bien ça ?

J'en suis abasourdie. Je sais que je ne devrais pas rester là, à les écouter, mais je ne peux pas m'en empêcher. Ça me soulève le cœur d'entendre Leon répondre :

— Si je te dis que Violetta est prétentieuse, que c'est une égoïste et une profiteuse sous son déguisement de gentille fille…

C'en est trop pour moi ! Ne souhaitant pas entendre un mot de plus, je m'en vais en courant. La seule chose que je désire vraiment, c'est m'enfermer quelque part pour pleurer.

En entrant dans la salle de musique, Tomas me découvre en larmes.

— Qu'est-ce qu'il y a ? me demande-t-il, préoccupé. C'est Ludmila ?

— Non, c'est ma faute ! je crie. Je

tombe toujours amoureuse de garçons qui me font souffrir !

Tomas comprend que quelque chose s'est passé avec Leon. Sans rien dire, il me serre dans ses bras, comme un bon ami.

L'ambiance à la maison n'est pas meilleure. Ramallo m'apprend que le nouveau jardinier récemment embauché a volé cinq millions d'euros à Papa. La police est venue enquêter et a interpellé Matias, le frère de Jade, à cause de son casier judiciaire. D'après Ramallo, Jade est affligée. Selon elle, elle ne savait rien de ces combines. Mais je n'en crois pas un mot. J'espère que mon père va découvrir avec quelle vipère il est fiancé !

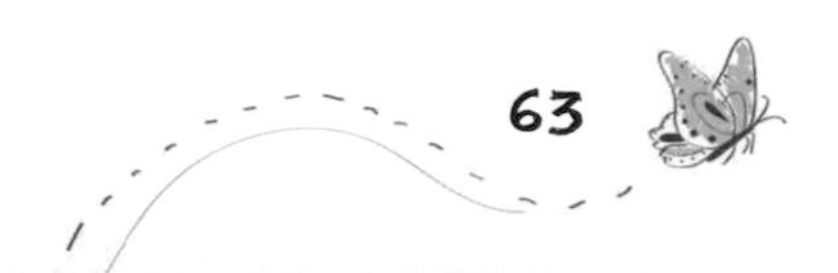

Aujourd'hui, je me rends au Studio sans aucune envie. Par chance, je tombe tout de suite sur Francesca.

— Heureusement que tu es là, Francesca ! J'ai besoin de me remonter le moral. Pourquoi ne répéterions-nous pas la chanson que tu as composée avec moi ? J'adorerais la présenter pour la finale.

Cette chanson parle de ce que signifie avoir une meilleure amie. Je l'associe tellement à Francesca que c'est génial de pouvoir la chanter avec elle.

Mais, à la fin du morceau, mon amie me demande de but en blanc :

— Est-ce que Tomas te plaît encore ?

— Pourquoi me poses-tu cette question ? Tu sors avec lui ?

Mon amie soupire, gênée.

— Tomas m'a promis de te le dire, mais visiblement, il n'ose pas, m'avoue-t-elle. Hier, quelqu'un vous a vus dans les bras l'un de l'autre, et je…

— Je n'en reviens pas, Francesca ! je l'interromps, en colère. Au lieu de venir me demander ce qu'il m'arrive, la première chose qui te vient à l'esprit, c'est que je flirte encore avec Tomas ! Tu n'as qu'à enregistrer une vidéo et la mettre en ligne !

Francesca recule, étonnée de ma réponse. Cela fait plusieurs jours que je me retiens, et je m'attendais à tout sauf à voir ma meilleure amie douter de moi. Je m'en vais, malheureuse et déprimée. Si je me suis autant trompée au sujet de Leon et que mon amitié avec Francesca ne semble pas réelle, il ne me reste plus rien !

En sortant du Studio, perdue dans mes pensées, je tombe nez à nez… sur Angie et mon père en train de s'embrasser !

C'est tellement inattendu que j'en oublie tous mes problèmes. Je me dépêche de retourner dans l'école en souriant. Angie et Papa, ensemble… C'est génial ! Rien ne pourrait me faire plus plaisir que de voir Angie faire partie de notre famille !

Au bout de quelques minutes, celle-ci vient me chercher.

— Violetta, me dit-elle, essoufflée, ne fais pas attention à ce que tu viens de voir ! J'ai eu peur que ton père te découvre à la sortie du Studio. La seule idée que j'ai trouvée, c'est de…

— Ne me dis pas que parmi toutes les diversions que tu pouvais faire pour le distraire, tu as choisi de l'embrasser ! je riposte en riant. Allons, Angie, ça ne prend pas !

— Violetta, entre ton père et moi, il ne peut rien y avoir parce que je suis…

À cet instant, Pablo entre dans la pièce. Ils doivent avoir beaucoup de choses à se dire... Je décide donc de les laisser seuls. Après tout, d'après ce que je sais, Angie sort avec lui.

J'imagine que ce n'est pas un moment facile qui les attend. Mais si Angie et Papa s'aiment, ils doivent se battre pour leur amour !

BUENOS
AIRES
MADRID

Angie peut me dire ce qu'elle veut, je vois bien qu'après ce baiser, mon père est devenu très étrange. Il arpente la maison, l'air absent, tandis que Jade essaie d'attirer son attention, sans y parvenir. Elle finit par le coincer dans le salon et lui rappelle qu'il lui a promis de l'accompagner à un gala de bienfaisance.

— C'est demain, ajoute Jade en me lançant un regard en biais.

C'est justement le jour de la finale du concours ! À la façon dont elle m'observe, il est évident qu'elle le sait et qu'elle a l'intention de tout gâcher.

— Alors, amusez-vous bien ! je leur lance en me levant rapidement du canapé pour me sauver dans ma chambre.

— Violetta ! intervient Papa. Nous irons tous ensemble, comme une vraie famille.

— Impossible ! Demain, j'ai... un examen que je ne peux pas manquer !

Mon père me regarde, déçu.

— Fais-le pour moi ! me supplie-t-il. Je te signerai un mot d'excuse.

— Je suis désolée, Papa. Si tu veux faire plaisir à Jade parce que tu te sens coupable, ce n'est pas mon problème.

— Violetta, je t'interdis de me parler comme ça ! Tu iras à ce gala, un point c'est tout !

Le sourire de triomphe de Jade démontre très clairement ses arrière-pensées. Voir mon père la faire passer avant moi me rend terriblement malheureuse.

Ce matin, Federico, Angie et moi descendons prendre notre petit déjeuner sans savoir comment affronter la situation.

— Tu ne peux pas rater la finale, Violetta ! ne cesse de répéter Federico. Après tout ce que tu as enduré pour y arriver... Non, ce ne serait pas juste !

— Je vais dire la vérité à Papa. Et s'il insiste pour que je l'accompagne à ce gala...

— Je ne suis pas sûre que ce soit le meilleur moment pour le faire ! déclare Angie, désespérée.

Elle a peut-être raison. Lorsque mon père arrive, nous lui annonçons que je suis malade. Il me regarde d'un air méfiant, mais nous finissons par le convaincre. D'ailleurs, je suis tellement nerveuse que les maux de ventre me semblent bien réels.

Papa fait venir le médecin. Celui-ci me conseille une diète et du repos. Je me sens coupable d'inquiéter mon père, mais le concours est si important…

Après son départ, Olga m'aide à m'échapper. J'arrive au Studio juste à temps pour empêcher Ludmila de me remplacer sur scène. Toutefois, mes nerfs me trahissent et je me trompe à la reprise d'un couplet. Je me rattrape aussitôt et réussis à terminer ma chanson, mais tout le monde s'en est rendu compte. Federico, lui, interprète parfaitement le morceau que Luca a composé pour lui.

Je culpabilise tellement qu'à la fin de la chanson de Federico, je file à la maison pour arriver avant Papa… Mais c'est trop tard ! Lorsque j'ouvre la porte de ma chambre, je le trouve assis au bord de mon lit.

— Où étais-tu ? m'interroge-t-il.

— Papa, je…

J'essaie de trouver une bonne excuse, mais je suis fatiguée de tous ces

mensonges. Je prends une profonde inspiration et lance :

— Très bien, je vais te dire la vérité.

— Ne te fatigue pas, me coupe-t-il. Tu es allée passer ton examen, c'est bien ça ?

— Non, non…

— Ça suffit, Violetta. J'en ai assez que tu me désobéisses. J'ai voulu t'inculquer l'honnêteté et le respect. Visiblement, j'ai échoué. Tu m'as dit que tu étais malade, et je t'ai crue. Mais tu es partie dès que j'ai eu le dos tourné ! Tu as trahi ma confiance. Je n'ai plus ni l'envie ni la force de te punir.

Le regard déçu qu'il me lance est pire que n'importe quelle punition… Je passe une bonne partie de la journée enfermée dans ma chambre, en m'en voulant terriblement.

Mais, comme d'habitude, après un certain temps, la réalité reprend le dessus. En me dirigeant vers la cuisine pour grignoter quelque chose, je découvre Olga en train de regarder la finale sur un ordinateur sorti de je ne sais où.

Au même instant, Jade entre à son tour, et Olga et moi éteignons précipitamment l'écran.

— Ce n'est pas la peine de le cacher ! déclare-t-elle. Je sais tout.

Olga fait mine de se jeter sur elle, mais je l'en empêche.

— Jade et moi devons parler, Olga.

Elle hésite quelques secondes, puis elle quitte la pièce en nous laissant seules.

— Maintenant, je comprends mieux pourquoi Papa est rentré plus tôt ! Tu savais que la finale du concours avait lieu aujourd'hui et tu voulais qu'il me surprenne.

— Moi ? s'étonne Jade en feignant la stupeur. Mais, mon cœur, comment peux-tu croire une chose pareille ?

— Ce petit jeu commence à me fatiguer. Tu veux tout raconter à mon père ? Eh bien, vas-y, dis-le-lui !

— Bien sûr ! Pour que tu puisses à ton tour lui parler de moi et empêcher mon mariage, c'est ça ?

— Je n'en ai pas besoin, Jade. Papa ne t'aime pas, il va te quitter ! La seule qui refuse de s'en rendre compte, c'est toi !

Et c'est avec un sentiment de triomphe amer que je retourne dans ma chambre.

Ce matin, en allant au Studio, j'éprouve une étrange sensation. Je me sens triste et déprimée, en partie parce que Leon me manque. J'aimerais tant pouvoir discuter avec lui, l'avoir à mes côtés pour qu'il me rassure. Je ne me soucie même pas du résultat des votes. Rien n'a plus d'importance sans Leon.

— Pourquoi est-ce que vous ne vous remettez pas ensemble ? me suggère Francesca lorsque je lui en parle.

Je secoue la tête, tristement.

— Il ne veut plus être avec moi. Nous nous sommes dit des choses terribles...

Je soupire, avec regret.

— Je crois bien que je l'ai perdu pour toujours !

Tout le monde se réunit dans la salle de spectacle pour découvrir le résultat de la finale. Nous sommes tous sur les nerfs. Ce qui m'inquiète le plus, c'est que si je gagne, je devrai tenir ma promesse et tout raconter à Papa... Mais je ne suis plus tout à fait sûre d'être prête à le faire !

— Antonio va annoncer le nom du grand gagnant ! déclare Luca depuis la scène.

Le propriétaire du Studio le rejoint en tenant une enveloppe dans la main. J'ai un nœud dans l'estomac.

— Très bien, les enfants, commence Antonio. Le gagnant de *Talent 21* est... Federico !

On applaudit tous comme des fous. J'avoue que, dans le fond, je suis contente pour lui... mais aussi très soulagée pour moi ! Je n'ai pas besoin d'en parler à Papa. En plus, Federico méritait vraiment de gagner. Il est sans aucun doute le meilleur chanteur du concours.

— Merci à tous ! J'ai rencontré des gens merveilleux. Sans eux, je n'aurais jamais pu arriver jusqu'ici ! s'exclame-t-il en nous faisant un signe.

Les applaudissements redoublent d'intensité.

— Chers élèves ! reprend Antonio sur un ton solennel. Je vous informe que le site Internet You Mix s'est engagé à financer le spectacle de fin d'année du Studio !

C'est une excellente nouvelle ! Cela signifie que nous aurons les moyens de faire quelque chose d'incroyable, et nous allons tous pouvoir y participer.

— Ça va, Violetta ? me demande Angie lorsque je redescends de la scène.

— C'est vraiment étrange : j'ai perdu et, pourtant, je me sens soulagée… je lui réponds en souriant.

À l'autre bout de la pièce, Leon me fixe du regard. Il sourit, lui aussi, et c'est comme si le soleil brillait de nouveau dans ma vie. Il y a peut-être encore un peu d'espoir !

En milieu de matinée, je reçois un message en numéro masqué sur mon téléphone portable. Il y est écrit que

Leon m'attend dans la salle de danse. Tout va peut-être s'arranger ! Leon veut sans doute parler de nous.

J'entre dans la pièce, le cœur battant. Mais je n'y trouve qu'un écran de projection. Dès que je m'en approche, le projecteur se met en marche, et je vois apparaître sur l'écran Angie et Pablo en train de discuter. Il est évident qu'une des caméras de l'émission les a filmés lors d'une conversation privée. Je ne comprends pas pour quelle raison quelqu'un veut à tout prix que je visionne cet enregistrement lorsque, tout à coup, j'entends Angie dire : « Pablo, tu ne te rends pas compte que Violetta pourrait découvrir à tout moment que je suis la sœur de María ? Que je suis sa tante ! »

J'ai l'impression d'étouffer ! Angie serait ma tante ?

Au même moment, elle entre dans la pièce en souriant. Lorsqu'elle découvre la vidéo à l'écran, son visage devient blême.

— Pourquoi... ? je parviens à lui demander en sanglotant. Comment as-tu pu me faire ça ?

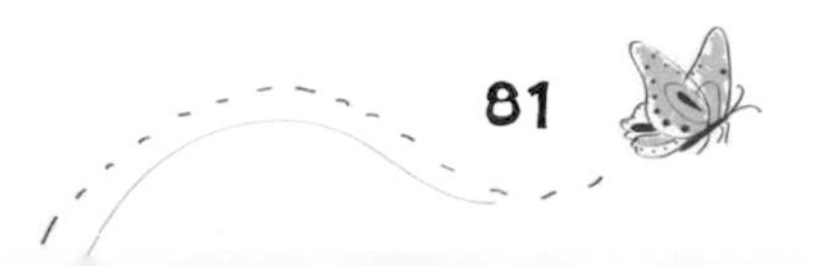

Angie reste sans voix. Son silence est pire qu'une confession. Je m'enfuis en pleurant, comme une petite fille. Je ne peux pas m'empêcher de penser à toutes nos conversations, au rôle important qu'elle joue dans ma vie, à sa manière de me réconforter et de m'épauler. Je comprends enfin pourquoi elle se sentait si proche de moi… Mais, en même temps, je réalise qu'elle me ment depuis le premier jour, et ça me fait pleurer encore plus !

Je mets longtemps avant de rentrer à la maison, car je ne sais pas comment affronter Angie. Est-ce que je dois lui pardonner ? Lui demander de partir ? À moins que je ne doive tout dire à Papa ?

J'entre en cachette et file dans ma chambre pour tenter de l'éviter, mais elle m'attendait.

— Pardonne-moi, Violetta ! me supplie-t-elle. Je ne voulais pas te mentir, je te le promets ! Ma mère et moi t'avons cherchée dans le monde entier. Chaque fois qu'on s'approchait de toi, ton père changeait de pays. C'est pour cela que, quand j'ai appris que tu étais ici, j'ai accouru pour te le dire... Mais je n'ai pas réussi à le faire ! J'ai eu peur que ton père t'éloigne encore de moi. Je sais que je me suis trompée, mais je t'aime, et je voulais te donner tout l'amour que ta mère n'a pas pu te donner...

Des larmes coulent sur ses joues. Ne pouvant le supporter plus longtemps, je me jette dans ses bras. Je lui répète tant de fois que je lui pardonne qu'on finit par en rire, les yeux rouges d'avoir tant pleuré.

Ensemble, nous ouvrons le journal de Maman et contemplons quelques photos d'elle. Angie m'en parle longuement, et je commence enfin à mieux la connaître, à travers le regard de sa sœur, Angeles… mon Angie !

— On ne doit rien dire à Papa ! Je ne veux pas qu'il nous sépare de nouveau.

Angie n'apprécie pas trop l'idée de continuer à lui mentir, mais elle finit par accepter. Elle m'explique que Ramallo et Olga sont dans la confidence depuis peu. En revanche, nous devons tout faire pour que Jade n'en sache rien.

— Je me demande bien qui m'a envoyé ce message pour que je visionne la vidéo !

— C'est Ludmila ! m'explique Angie, furieuse. Je l'ai surprise en train de fouiller dans mon sac pour récupérer la vidéo ! Mais ne t'inquiète pas, les professeurs s'en occupent. Pour l'instant, elle est renvoyée de l'école pour trois jours. Elle doit apprendre que tous les moyens ne sont pas bons pour gagner !

Ce matin, au Studio, tout le monde est sous le choc en apprenant l'exclusion temporaire de Ludmila. Et ce n'est pas tout ! Gregorio a été découvert en train de falsifier les votes pour que Federico perde. Antonio l'a relevé de ses fonctions et a donc rendu le poste de directeur à Pablo. Sans Ludmila et avec Pablo à la tête du Studio, on va enfin pouvoir faire de la musique !

Seul bémol de la journée : nous devons dire au revoir à Federico. Il retourne en Italie pour organiser sa carrière avec l'aide de sa mère. Il va tellement me manquer…

Depuis que j'ai découvert le secret d'Angie, elle et moi avons pris l'habitude d'aller nous promener au parc. Elle en profite pour me parler de ma mère. Cet après-midi, une femme se rue vers nous en courant.

— Maman ! s'exclame Angie en la voyant.

La femme l'ignore totalement et me prend dans ses bras en pleurant. Quelle émotion ! Sa chaleur, sa voix, ses yeux… C'est ma grand-mère ! Je peux enfin faire sa connaissance !

— Quand es-tu arrivée ? l'interroge Angie, émue.

— À l'instant ! J'étais en voyage. Mais quand tu m'as appelée pour me dire que Violetta savait tout, j'ai sauté dans le premier avion et je suis venue vous voir, répond-elle en m'embrassant. Tu ne te souviens pas de moi, n'est-ce pas ?

— Non, je suis désolée…

— Ce n'est pas grave, déclare ma grand-mère en versant des larmes de joie. Nous avons toute la vie pour apprendre à nous connaître !

De retour au Studio, les professeurs nous réunissent pour parler du spectacle de fin d'année. Cette fois-ci, tout le monde pourra y participer, sans passer d'audition. Chacun de nous doit proposer des idées.

— Il y aura deux rôles principaux, explique Antonio. Le premier sera joué par Leon, que nous voulons récompenser pour son attitude quand il a cédé sa place à Violetta lors de l'émission. Le second sera attribué à Violetta pour être parvenue jusqu'en finale.

Après la réunion, je m'approche de Leon. Depuis la fin du concours, nos regards se croisent sans cesse. Camila et Francesca m'ont assuré qu'il voulait de nouveau sortir avec moi. Alors, peut-être...

— Leon, il faut qu'on parle.

— C'est au sujet du spectacle ? m'interrompt-il. Je sais ce que tu vas me dire, nous devons faire preuve de professionnalisme. Tu n'as pas à t'inquiéter. Moi non plus, je ne veux rien de plus... C'est bien ce que tu voulais entendre ?

Je suis tellement décontenancée que je ne sais pas comment réagir. Je ne m'attendais pas à ça. Il a l'air si déterminé ! Je n'arrive pas à lui avouer que je ne désire qu'une chose : que l'on se remette ensemble ! J'acquiesce bêtement et le regarde quitter la pièce, le cœur brisé.

Au même moment, Francesca entre dans la salle. Je suis au bord des larmes.

— Qu'est-ce qu'il t'arrive ?

— C'est le jour le plus triste de mon existence ! J'ai retrouvé ma grand-mère… mais j'ai perdu l'amour de ma vie ! je lui réponds en éclatant en sanglots.

Sur le chemin du retour, Angie essaie de me réconforter. Elle y parvient presque lorsque nous tombons nez à nez sur ma grand-mère, dans l'entrée. Olga tente désespérément de la faire sortir pour que Papa, sur le point d'arriver, ne la voie pas… Trop tard !

En voyant Papa franchir le seuil de la maison, nous entraînons ma grand-mère dans un coin du salon.

— Que fais-tu ici, Maman ? chuchote Angie, très nerveuse, tandis que je surveille mon père.

— Je suis venue parler à Germán. Maintenant que Violetta connaît la vérité, il n'y a aucune raison de continuer à lui mentir.

— Mais nous ne pouvons pas tout lui dire comme ça, d'un coup ! s'écrie Angie.

— Chut ! Allons dans ma chambre avant que Papa ne nous voie, je dis tout bas.

Ma grand-mère nous suit à contrecœur. Une fois la porte refermée, elle nous lance un regard de reproche.

— Je ne supporte pas de vivre dans le mensonge ! s'exclame-t-elle. Tout cela doit cesser.

Bien sûr, elle a raison. Mais la situation est devenue si compliquée que nous devons agir avec doigté.

— Maman, laisse-nous faire à notre façon ! la supplie Angie.

Je pose ma main sur son bras pour la calmer.

— Angie, est-ce que tu peux me laisser seule avec Grand-Mère quelques instants ? je lui demande.

Elle nous regarde en hésitant, puis finit par accepter.

— Je suis désolée d'être venue comme ça, Violetta, commence ma grand-mère. Mais nous devons mettre un terme à cette situation. Ton père ment, Angie ment, tu mens… Ça ne peut plus durer !

— Ce que Papa a fait n'est pas bien non plus ! je réplique. Me cacher que j'ai une famille et me trimbaler sans cesse d'un endroit à l'autre ! J'ai dû lui mentir pour pouvoir m'inscrire au Studio et avoir une vie normale, comme n'importe quelle autre fille.

— Je comprends, ma chérie. Mais tu ne peux pas lui mentir toute ta vie !

— J'ai juste besoin d'un peu de temps pour faire ce que j'aime le plus au monde : chanter ! Le seul à s'y opposer, c'est lui. S'il te plaît, Grand-Mère, ne fais pas comme lui, ne décide pas à ma place… Laisse-moi participer au spectacle de fin d'année !

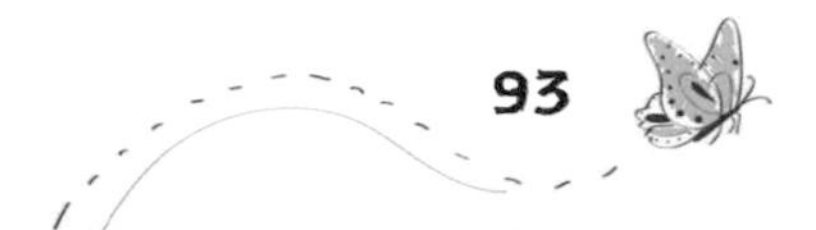

Elle me sourit tendrement.

— Violetta, j'attendrai jusqu'à la fin des cours… Mais pas une minute de plus, d'accord ?

Je savais bien qu'elle finirait par me comprendre ! Au moins, j'ai gagné un peu de temps pour poursuivre mon rêve.

Mes rêves ne sont pas les seuls à se concrétiser. Maxi, Andrés, Napo, Broadway et Leon ont formé un groupe : les All For You. Ils prennent les répétitions très au sérieux. Camila, qui est officiellement devenue la petite amie de Broadway, a voulu les aider à se faire connaître en mettant leurs chansons en ligne. Même si elle a toujours les meilleures intentions du monde, mon amie est si impatiente

quand elle se passionne pour quelque chose qu'elle se laisse rapidement emporter et agit comme un vrai petit chef. Broadway a failli quitter le groupe, parce que les autres ne voulaient pas que Camila s'en mêle autant. Heureusement, elle a fini par entendre raison.

Quant à Tomas et Francesca, ils filent le parfait amour. Je suis tellement contente de voir que mes amis ont réussi

à surmonter tous les obstacles pour être ensemble.

Maxi et Nata se sont également rapprochés. Juste avant l'émission, ils formaient le couple le plus adorable du Studio. Maintenant que Ludmila ne leur tourne plus autour pour tout gâcher, on dirait qu'ils s'intéressent de nouveau l'un à l'autre.

La seule à ne pas avoir de chance en amour, c'est moi. Depuis que je ne sors plus avec Leon, je pense tout le temps à lui…

Les préparatifs pour le spectacle de fin d'année nous occupent beaucoup.

— Les enfants ! nous interpelle Pablo lors d'une réunion. Tout ce que vous nous avez proposé est génial ! Je pense que nous allons pouvoir monter un spectacle magnifique, dans lequel vous montrerez tout ce que vous avez appris cette année. Par ailleurs, nous avons une autre nouvelle à vous annoncer.

Antonio prend la parole.

— J'ai parlé avec les producteurs de You Mix et ils m'ont donné une excellente idée pour accroître notre renommée : ils

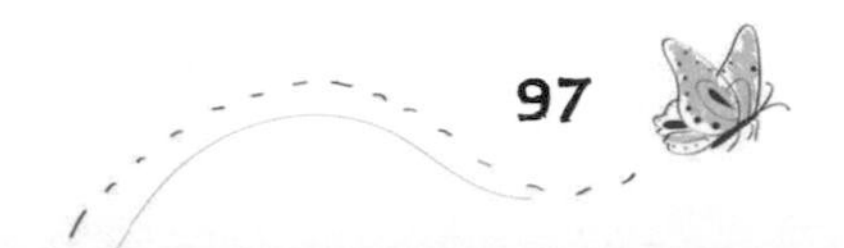

suggèrent de retransmettre le spectacle à la télévision, sur une chaîne nationale. Pour l'occasion, nous aurons un invité spécial : Rafa Palmer !

Nous applaudissons si fort que Pablo a du mal à poursuivre son explication.

— Les répétitions vont commencer. Alors, soyez prêts à travailler dur !

Après le départ des professeurs, Camila et moi nous dirigeons vers Francesca pour lui parler d'une chanson que nous pourrions interpréter ensemble. Mais elle me tourne pratiquement le dos !

— Qu'est-ce qu'il t'arrive ? je lui demande, surprise et blessée.

— Qu'est-ce qu'il m'arrive ? répète-t-elle.

On t'a vue dans les bras de Tomas, voilà ce qu'il m'arrive ! Tu ne peux pas le laisser tranquille, Violetta ? Tu m'as dit que tu ne ressentais plus rien pour lui, mais on dirait que tu n'acceptes pas de me voir heureuse... Il faut toujours que tu te mettes entre nous !

Camila et moi restons bouche bée devant cet accès de jalousie. D'autant que je ne sais même pas de quoi elle parle ! Soudain, je me rappelle qu'hier, après que Leon m'a repoussée, Tomas m'a trouvée en pleurs et m'a prise dans ses bras pour me consoler.

— Francesca, c'est incroyable que tu puisses penser une chose pareille ! je m'écrie, en colère. Tu sais mieux que personne que je suis amoureuse de Leon et que Tomas n'est qu'un ami. Qu'est-ce que tu veux ? Que je ne lui parle plus jamais ? Ce n'est pas juste !

— Violetta a raison, intervient Camila.

Tu te laisses emporter par la jalousie. Si tu ne te contrôles pas, tu finiras par perdre Tomas !

Francesca se mord les lèvres, honteuse.

— Vous avez raison, admet-elle en soupirant. Je ne sais pas ce qui me prend… Je suis tellement heureuse d'être enfin avec lui que j'ai peur de le perdre, et ça me rend un peu paranoïaque.

— Tu dois me faire confiance, Francesca. Tu sais que je ne te trahirai jamais !

Très émues, nous nous embrassons. Mais je ne peux pas m'empêcher de penser que les garçons compliquent toujours les relations entre amies.

BUENOS
AIRES
MADRID

De retour chez moi, une nouvelle fantastique m'attend : Papa a avoué à Jade qu'il ne l'aimait plus. Son frère et elle vont enfin quitter la maison ! Je suis si heureuse que ça m'est égal de la voir dîner avec nous.

— Je n'arrive pas à croire que c'est mon dernier repas sous ce toit ! soupire-t-elle d'un ton mélodramatique. Quel dommage ! Je vous aimais comme si vous étiez ma propre famille... Je voudrais porter un toast ! Et surtout, je tiens à demander pardon à Angie pour l'avoir traitée si mal. Après tout, elle faisait déjà partie de la famille avant que je vous connaisse, n'est-ce pas... Angeles ?

Tout le monde se fige. La maudite Jade nous a espionnées, et elle a décidé de nous offrir un dernier « petit cadeau » avant de sortir de nos vies !

— Si c'est une blague, Jade, elle est de très mauvais goût ! rétorque Papa.

— C'est pourtant la vérité, mon chéri !

Mon père se lève de table et quitte la pièce. Angie lui court après.

— Jade, tu ne peux pas t'empêcher de faire du mal ! je m'exclame, furieuse. Heureusement que tu pars ! Ici, plus personne ne te supporte !

Je me réfugie dans ma chambre en attendant qu'Angie vienne me raconter sa conversation avec Papa. Mais le seul qui vient me voir, c'est mon père. Il entre dans ma chambre brusquement.

— Tu viens me punir parce que je savais qu'Angie était ma tante et que je ne t'ai rien dit ? je lui lance.

Papa soupire et se passe une main dans les cheveux d'un geste las.

— Écoute, Violetta, je comprends que tu sois fâchée parce que je t'ai caché que tu avais une grand-mère et une tante. Je reconnais m'être trompé en agissant ainsi. Mais je l'ai fait pour ton bien...

— Pour mon bien ? C'est pour mon bien que je n'ai jamais connu ma grand-mère et ma tante alors qu'elles étaient prêtes à m'entourer d'affection ?

Mon père croise les bras, comme pour se défendre de mes attaques.

— S'il te plaît, Violetta, ne sois pas aussi dure ! Tu ne sais pas à quel point cela a été difficile pour moi. J'avais tellement peur de te perdre...

— Eh bien, tu as choisi le pire moyen pour ne pas me perdre, Papa ! Quand j'ai appris ton mensonge, quelque chose s'est brisé entre nous.

— Nous pourrions essayer de…

— Non, je n'en peux plus ! À partir de maintenant, je vais construire mon destin sans te demander ton avis, ni me sentir coupable pour autant.

Mon père veut s'excuser de nouveau, ajouter quelque chose pour sa défense, mais je le mets à la porte de ma chambre pour pouvoir pleurer toutes les larmes de mon corps. Je ne me suis jamais sentie aussi anéantie.

Angie rassemble ses affaires et téléphone à sa mère pour lui demander de venir la chercher. Dès que ma grand-mère arrive à la maison et voit Papa, elle décharge sur lui la colère accumulée pendant toutes ces années.

— Qu'est-ce que tu vas faire, maintenant, Germán ? lui reproche-t-elle. Tu vas une fois de plus entraîner ma petite-fille loin de nous ?

Mon père a l'air très fatigué, comme s'il n'avait pas dormi de la nuit.

— Ne vous inquiétez pas. Je ne vais pas vous interdire de voir Violetta, assure-t-il. Je sais que j'ai commis une grave erreur… La plus grave de ma vie ! Je ne peux que vous demander pardon, à vous trois, même si je sais que ce n'est pas suffisant et que ça ne le sera jamais.

Papa quitte la pièce, abattu. Ça me fait mal de le voir ainsi. J'aimerais courir derrière lui et l'embrasser, mais je ne peux pas. Pas encore.

Ce matin, après la foudre qui a frappé ma famille, je me rends au Studio, très déprimée. Le premier à me saluer est Tomas. Je ne peux pas m'empêcher de lui raconter tout ce qu'il s'est passé.

— Je suis vraiment désolé, Violetta. Si je peux faire quoi que ce soit…

À cet instant, Leon entre dans la salle. Il fait la moue en me voyant parler avec Tomas. Je ne comprends pas pourquoi il réagit comme ça. Après tout, c'est lui qui a décidé qu'il ne devait plus rien y avoir entre nous. J'en suis blessée, et plus encore maintenant que ma vie est sens dessus dessous.

— Va lui parler ! m'encourage Tomas.

Mais Leon ne me laisse pas le temps de m'expliquer. Il est convaincu que je ressens encore quelque chose pour Tomas. Il refuse de croire que mes sentiments pour lui sont véritables. Il m'accuse d'être toujours ambiguë et refuse de me donner une seconde chance…

Fatiguée par les événements, je sors marcher dans le parc. Visiblement, je ne suis pas la seule à avoir besoin de réfléchir. En effet, je rencontre Tomas, tout aussi abattu que moi.

— Ça n'a pas l'air d'aller ! je lui dis en m'asseyant à ses côtés. Laisse-moi deviner : c'est Francesca !

— Oui, elle me reproche d'être allé te parler ce matin au lieu de venir l'embrasser. Elle m'accuse d'être encore amoureux de toi ! Je lui ai expliqué que je ne supportais pas d'être avec quelqu'un d'aussi jaloux. Bref, on s'est séparés.

— Je suis désolée, Tomas. Ce n'est pas ce que je voulais. Francesca et toi étiez si bien, ensemble…

— Moi aussi, je suis désolé. Je pensais vraiment que Francesca et moi…

Tomas est si triste que je ne peux pas m'empêcher de lui caresser la joue pour le réconforter. Soudain, il me regarde droit dans les yeux et se penche vers moi comme… comme s'il allait m'embrasser !

— Non, Tomas ! je m'écrie en m'écartant de lui. Je suis désolée, mais ce n'est pas ce que je cherchais. J'avais juste besoin de parler à quelqu'un.

— Violetta, ne me dis pas que tu n'as pas ressenti quelque chose de magique entre nous ?

Je secoue la tête, confuse.

— Non… Je ne sais pas. Ce serait une erreur !

— Alors… tu ne m'aimes pas ?

— Bien sûr que je t'aime, Tomas ! Mais pas comme ça.

— Pas comme Leon, n'est-ce pas ?

J'ai déjà vécu cette situation. Le mieux est de me sauver. Je m'enfuis du parc en courant. Ma vie est déjà trop embrouillée sans que je sorte avec Tomas ou, pire, que je me fâche avec Francesca.

Je rentre chez moi, pressée de m'enfermer dans ma chambre pour tout oublier : Angie n'habite plus avec nous, Leon ne veut pas sortir avec moi, Francesca ne me fait plus confiance, et Tomas m'aime encore.

Malheureusement, en ouvrant la porte, je tombe sur Jade et mon père dans le salon. Je trouve étrange qu'elle ne soit pas encore partie. Mais avant que je puisse réagir, la voix aiguë de Jade me perce les tympans.

— Violetta, comme c'est bien que tu sois là ! Ton père et moi avons une grande nouvelle à t'annoncer !

— Je devrais peut-être lui parler d'abord en privé, intervient Papa.

— Nous nous marions dans trois jours !

Le ton de Jade me glace. Quoi ? Ils vont se marier ? Dans trois jours ? Mais que s'est-il passé ?

— Comme nous avons peu de temps, tu veux bien m'aider à organiser la fête, mon cœur ? m'implore-t-elle d'une voix mielleuse.

Je la regarde, stupéfaite.

— Ne compte pas sur moi ! je réponds brusquement. Je suis sûre que tu t'en sortiras très bien toute seule. À l'évidence, tu n'as aucun mal à obtenir ce que tu veux. Félicitations pour le mariage !

— Merci ! répond Jade en affichant un sourire perfide alors qu'elle se dirige vers la cuisine.

Papa m'intercepte avant que je puisse monter dans ma chambre.

— Violetta, je sais que cette décision ne te fait pas plaisir. Mais j'espère que tu sauras l'accepter. Tu es ma fille et je t'aime !

— Moi aussi, je t'aime, Papa. C'est pour ça que je te supplie de ne pas te marier avec Jade !

— Tu ne peux pas me demander ça ! Je sais que tu ne t'entends pas avec elle, mais c'est la seule à ne pas m'avoir menti dans cette maison.

— Je ne dis pas ça parce que je ne l'aime pas, je l'interromps. Je le dis parce que je suis absolument certaine que tu n'es pas amoureux d'elle.

Papa me regarde, abasourdi. Je sais que je ne peux pas faire grand-chose.

Tout dépend de lui. Mais il est trop blessé par tout ce qu'il s'est passé avec Angie pour comprendre qu'il va se marier avec Jade par dépit.

— Oublie ce que j'ai dit ! Si tu l'aimes réellement…

Il fait presque nuit quand Francesca se présente chez moi à l'improviste.

— Qu'est-ce qui t'amène ici ? je lui demande, surprise.

— Je vais être franche, Violetta. Je vous ai vus, Tomas et toi, au parc. Avant que je commence à me poser des questions, je suis venue écouter ta version de l'histoire.

Je soupire, fatiguée.

— Francesca, j'ai eu une dure journée, aujourd'hui. La dernière chose dont j'aie envie, c'est qu'on se fâche pour un malentendu.

— Excuse-moi ! Avec toutes ces histoires de garçons, je ne suis plus jamais là quand tu as besoin de moi. Et si je restais dormir ? Tu pourrais tout me raconter…

Francesca a raison. Tout ce dont j'ai besoin, c'est de passer un peu de temps avec ma meilleure amie, de chanter, danser et ne penser à rien d'autre.

Soudain, on frappe à la porte. Je vais ouvrir. C'est Tomas.

— Violetta, je suis venu pour…

— Tomas ! s'exclame Francesca. Qu'est-ce que tu fais là ?

Je vois bien que tout est sur le point d'exploser, alors j'improvise :

— Tomas est venu te voir, Francesca. Je lui ai envoyé un SMS en lui expliquant que tu étais là.

Je la regarde droit dans les yeux et ajoute, sincère :

— Vous ne pouvez pas rompre pour une bêtise. Vous devez en parler ! Je vais attendre dehors.

Lorsque Tomas sort de ma chambre, peu de temps après, c'est tout juste s'il me regarde. Il s'en va en courant.

— Que s'est-il passé ? je demande à Francesca.

Mon amie secoue la tête. Elle a l'air à la fois triste et déterminée.

— Je lui ai dit que nous devions nous laisser un peu de temps.

Je l'embrasse pour qu'elle sache que je serai toujours à ses côtés, puis nous discutons jusque tard dans la nuit.

Ce matin, en arrivant au Studio, on apprend que Camila et Broadway ont rompu, eux aussi, à cause du groupe de musique formé par les garçons. Et ce n'est pas tout ! Nata a également quitté Maxi en apprenant qu'il avait parié avec Andrés que tous deux embrasseraient une fille avant la fin de l'année. Elle est convaincue que c'est pour ça que Maxi lui a demandé de sortir avec lui.

Je commence à penser que le Studio est maudit et que l'amour n'y a pas sa place. En voyant Tomas entrer dans la salle de musique, je suis sur la défensive.

— Tomas, je t'ai déjà dit hier soir que...

Il s'approche de moi, d'un air décidé.

— S'il te plaît, tu ne peux pas nier ce qu'il y a entre nous !

C'est alors que Leon se précipite dans la pièce.

— Oublie-la, Tomas ! lui dit-il avec son assurance habituelle. Violetta et moi, on va se remettre ensemble.

Ça me laisse perplexe, mais je finis par retrouver mes esprits.

— Je n'ai jamais dit ça, Leon !

— Mais c'est ce que tu veux, n'est-ce pas ? m'interroge-t-il, surpris. Ne me dis pas que tu veux de nouveau sortir avec Tomas.

— Tu vois bien que si ! affirme Tomas.

— Je n'ai pas dit ça non plus ! je m'écrie. Cette conversation est ridicule. Leon, tu ne peux pas décider pour moi ! Quant à toi, Tomas, tu es sorti avec ma meilleure amie, et ça, c'est une raison suffisante pour nous éloigner l'un de l'autre. Concentrons-nous sur le spectacle !

À l'heure du déjeuner, je retrouve ma grand-mère au restaurant. C'est génial d'avoir une famille à laquelle faire appel quand on a besoin de réconfort ou de conseils. Et là, j'ai justement besoin des deux.

— Grand-Mère, ça ne t'est jamais arrivé d'hésiter entre deux garçons et de ne pas savoir lequel choisir ? je lui demande au bout d'un moment.

— Non, je ne crois pas… Mais, à mon époque, c'était différent !

On se met à rire, puis ma grand-mère ajoute :

— Tu sais pourquoi tout paraît compliqué, Violetta ? Parce que nous essayons de choisir avec notre tête, alors que, dans ce domaine, le seul qui commande, c'est notre cœur.

— Quand je suis avec Leon, j'ai l'impression que je pourrais passer le reste de ma vie avec lui. Je me sens aimée et choyée. Tandis qu'avec Tomas… c'est comme si tout mon corps se transformait en musique ! Dès qu'il n'est plus là, tout redevient silencieux. Qu'est-ce que je dois faire ?

Elle pose ses mains sur les miennes en me regardant tendrement.

— Tu dois chercher les réponses en toi, ma chérie.

— Et si je ne les trouve pas ?

— Si tu ne les trouves pas… c'est peut-être ça, la réponse !

La conversation avec ma grand-mère m'a permis de réfléchir. Je croyais avoir tourné la page avec Tomas et que Leon occupait toutes mes pensées. Mais, à présent, c'est comme si tout recommençait !

De retour chez moi, une mauvaise surprise m'attend : Ramallo et Olga ont donné leur démission. Ils ne supportaient plus le comportement de Jade. Désormais, je me retrouve seule, sans aucun allié dans la maison.

Pour couronner le tout, Tomas et Leon semblent bien décidés à me rendre folle. Ce matin, ils sont venus tous les deux dans mon jardin pour me chanter une sérénade ! Quand mon père les a surpris, il était prêt à appeler la police.

Au Studio, c'est la même chose. Dès

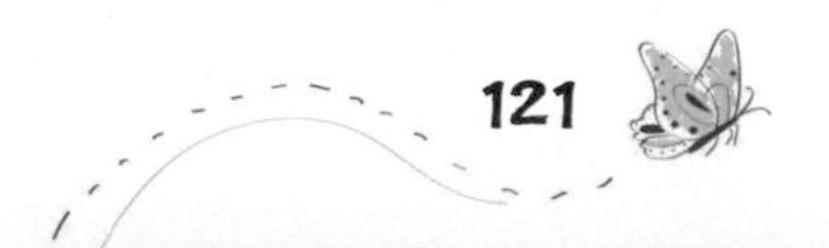

qu'ils le peuvent, ils me suivent et ne cessent de se disputer.

— Ça suffit ! je leur crie lorsqu'ils en arrivent presque aux mains. Je ne sortirai avec aucun de vous deux !

Je me précipite dehors, mais voilà qu'un nouveau problème m'attend ! Les producteurs de You Mix ont conçu une affiche pour promouvoir le spectacle. Et ils ont vu les choses en grand. L'affiche est magnifique, accrochée à l'entrée du Studio… mais je suis dessus, en plein milieu ! J'en ai le souffle coupé. Dès qu'Angie sort, je cours vers elle, paniquée.

— Angie, tu dois faire quelque chose ! Je ne peux pas apparaître sur cette affiche !

— Du calme, Violetta ! J'ai déjà demandé à ce qu'on la retire.

Je soupire, soulagée.

— Heureusement, parce que ça n'aurait pas été bien que Papa l'apprenne de cette manière…

— En effet, ce n'est pas bien d'apprendre ainsi que ma fille m'a de nouveau menti !

Angie et moi nous retournons brusquement et tombons nez à nez avec... mon père !

— Un spectacle... Une affiche avec ta photo... C'est donc ici que tu étudies, Violetta ?

— Papa, je...

— Violetta, je ne me suis jamais senti aussi déçu ! Monte dans la voiture immédiatement !

Pour une fois, j'obéis sans rechigner. Pendant ce temps, Papa s'en prend à Angie. Je ne sais pas ce qu'ils se disent, mais lorsqu'il me rejoint, il est vert de rage. Je ne l'ai jamais vu aussi fâché.

À peine arrivés à la maison, nous montons dans ma chambre. Avant qu'il ne commence à crier, je décide d'attaquer. Ne dit-on pas que c'est la meilleure défense ?

— Je n'arrive pas à croire que tu te mettes dans un état pareil ! Toi aussi, tu as menti !

— Violetta, ne me parle pas sur ce ton ! me coupe-t-il. Je suis ton père, et c'est moi qui établis les règles dans cette maison. Je sais que je n'aurais pas dû te mentir concernant ta grand-mère et ta tante. Mais ce que tu as fait est encore pire ! Tu as entraîné tout le monde dans ton mensonge : Olga, Ramallo, Angie… Ça mérite une punition !

— Je ne voulais pas te faire de mal, Papa. J'ai beaucoup souffert de devoir te mentir. Mais je n'avais pas le choix ! Je devais chanter !

— Eh bien, c'est terminé. Tu ne retourneras pas au Studio. La musique, c'est fini !

— Tu ne peux pas me l'interdire !

— Bien sûr que je le peux !

Il quitte ma chambre sans que je puisse ajouter un mot. J'ai l'impression que ma vie vient de s'arrêter.

Je suis de nouveau enfermée dans la tour de cristal que mon père a construite pour moi. Le pire, c'est qu'à présent, je sais ce que je perds à l'extérieur.

Après avoir passé plusieurs heures cloîtrée dans ma chambre, je descends à la cuisine pour manger quelque chose. Sans Olga, la maison est un vrai désastre. Je me sens plus seule que jamais. Comment ai-je pu tout perdre en à peine deux jours ?

Je suis à table lorsque Jade fait son entrée en souriant, avec son air de serpent venimeux.

— Tu vois, Violetta ! s'écrie-t-elle de sa voix stridente. La vérité finit toujours par éclater. Tu n'es plus la petite chérie de ton papa adoré !

— C'est toi qui as vendu la mèche au sujet du Studio, n'est-ce pas ?

— Pas du tout ! Pose-lui la question si tu ne me crois pas. Mais tu as raison, continue à jouer les rebelles et à te montrer désagréable ! Ce sera plus facile pour moi de t'envoyer en pension.

Je la regarde, sans dissimuler ma haine.

— Tu sais, Jade, je préfère aller à l'internat que de vivre avec toi.

— Oh, tu me fends le cœur ! lance-t-elle avec ironie en quittant la cuisine.

Sa présence m'a coupé l'appétit. Au moment où je me lève pour sortir, j'aperçois une ombre derrière la porte. J'ouvre et tombe sur Leon. Quel soulagement de le voir !

— C'est incroyable, Leon ! Tu es toujours là quand j'ai besoin de toi.

— Violetta, je voulais juste te dire que tu pourras toujours compter sur moi ! Que tu choisisses Tomas ou moi… ou aucun des deux.

— Merci !

— Quoi qu'il arrive, je t'attendrai…

Il se penche et m'embrasse, puis il s'en va.

Je monte dans ma chambre. Mais avant de me coucher, j'écris quelques lignes dans mon journal. Je ne participerai pas au spectacle de fin d'année, et il est plus que probable que je ne remettrai jamais les pieds au Studio. Toutefois, je ne regretterai jamais tout ce que j'ai vécu au cours de ces quelques mois. J'ai découvert l'amour, l'amitié, ainsi que ma vraie passion : la musique. Ça en valait vraiment la peine !

S'il y a bien une chose à laquelle je ne m'attendais pas, c'était à la visite de mes amis pour tenter de convaincre Papa de me laisser retourner au Studio ! Leon, Maxi, Braco, Camila, Napo, Francesca, Broadway et même Nata, qui a intégré notre groupe par amour pour Maxi, chantent et dansent devant mon père. Dommage que je ne sois pas là pour les voir !

Mais, aujourd'hui, c'est le jour du mariage. Ne supportant plus de rester enfermée à la maison, j'ai décidé d'aller me promener. C'est alors que je tombe sur Tomas.

— Tu n'es pas punie ?

— Si, mais j'avais besoin de prendre l'air.

Tomas se penche pour m'embrasser, mais je l'en empêche.

— Ne complique pas les choses !

— Je comprends que tu aies des sentiments à la fois pour Leon et pour moi.

Mais, à la fin, un seul connaîtra le bonheur de mettre de la musique dans ta vie.

— Merci, je murmure, la gorge nouée.

— Non... Merci à toi de donner du sens à tout ça !

Je ne peux pas m'empêcher de m'approcher de lui et de l'embrasser. Puis on se sépare, tout simplement.

Je me rends chez Angie, car je ne supporte pas l'idée de devoir rentrer à la maison. Je la croise sur le chemin.

— Que se passe-t-il ? me demande-t-elle en me voyant si bouleversée.

— Angie, je ne peux pas rester les bras croisés pendant que Papa gâche sa vie ! Nous devons empêcher ce mariage !

Au lieu de se ranger de mon côté, elle prend la défense de mon père.

— Germán est adulte, Violetta ! S'il a décidé de se marier avec Jade, il doit avoir ses raisons. Même si tu ne le comprends pas, tu dois le soutenir.

— Mais Papa ne l'aime pas ! Il est amoureux de toi, et toi de lui. Vous ne pouvez pas continuer à vous voiler la face !

Angie me regarde en silence pendant de longues secondes, puis elle hoche la tête.

— Très bien ! Si c'est ce que tu veux, allons-y !

Réconfortée d'avoir une alliée, je glisse mon bras sous le sien, et nous nous dirigeons vers la maison.

Tout le monde m'y attend : Papa, Jade, Matias, Ramallo, Olga, l'officier d'état civil chargé de célébrer le mariage et un photographe… Tout est prêt pour la cérémonie.

— Violetta, enfin ! s'exclame mon père.

Mais il se fige en voyant Angie.

— Que fait-elle ici ? crie Jade.

— Angie m'a accompagnée pour…

— Pour ne pas rater le mariage, me coupe ma tante.

Je la regarde, stupéfaite.

— Violetta, murmure-t-elle, tu sais bien que c'est ce qu'il y a de mieux…

Je me sens trahie, mais Angie a raison. Je ne peux rien faire contre la décision de Papa. Je décide donc de monter me changer, accablée.

Lorsque je redescends, Angie est partie. Mon père, en costume, vient me chercher au pied de l'escalier.

— Merci, me dit-il en souriant.

— Je te soutiendrai toujours, Papa… Même si je crois que tu fais la pire erreur de ta vie !

— Tu es trop jeune pour comprendre ce genre de chose, Violetta.

— Et toi, tu es trop âgé pour commettre ce genre d'erreur. Tu aimes Angie et tu regretteras de ne pas le lui avoir dit.

À cet instant, Matias annonce que Jade est prête. La cérémonie commence. L'officier d'état civil prononce les vœux du mariage, puis il demande :

— Germán Castillo, voulez-vous prendre Jade La Fontaine pour épouse ?

— Non… répond mon père.

Le silence a envahi la pièce. On pourrait entendre une mouche voler.

— Ça y est, nous sommes mariés ? demande Jade, qui refuse de comprendre ce qu'il vient de se passer.

— Je suis désolé, mais je ne t'aime pas… explique mon père. Le mariage est annulé.

Jade entre dans une rage folle et

menace de tout casser. Heureusement, Matias réussit à l'en empêcher. Pendant qu'il l'entraîne dehors, mon père se réfugie dans sa chambre, et Ramallo fait sortir tout le monde. Quant à moi, je m'empresse de téléphoner à Angie.

— Ils ne se sont pas mariés ! je m'exclame dès qu'elle décroche. Papa a annulé la cérémonie parce que c'est toi qu'il aime ! Viens vite !

— Non, Violetta, je ne peux pas. Les choses sont trop compliquées entre nous, me dit-elle avant de raccrocher.

Sa réponse me déconcerte. Angie n'est-elle pas amoureuse de mon père ? Elle doit être complètement déboussolée. Il s'est passé trop de choses, et ce n'est peut-être pas le moment de la brusquer. D'autant qu'en matière d'action, on a de quoi faire à la maison ! Voilà qu'à présent, des policiers arrivent. Il ne manquait plus que ça !

— Que se passe-t-il ? j'interroge Ramallo.

Le bras droit de Papa est fou de joie.

— Tu te rappelles le jardinier qui a volé cinq millions d'euros ? Il s'avère que c'est le père de Jade et de Matias !

J'étouffe un cri d'étonnement.

— La police ne parvenait pas à le retrouver. Mais tout à l'heure, durant la cérémonie, j'ai remarqué ce photographe que personne n'avait embauché... Et je l'ai reconnu !

— Le photographe est le père de Jade et de Matias ?

— Oui. Apparemment, il ne voulait pas manquer le mariage de sa fille. Nous l'avons enfin démasqué ! s'exclame Ramallo.

Cette fois, on peut dire que l'histoire entre Jade et Papa est plus que terminée. Un problème en moins ! Maintenant, il n'y a plus qu'à laisser passer un peu de temps pour que la situation se calme. Je suis sûre que dès qu'ils seront plus tranquilles, Angie et Papa se rendront compte qu'ils sont faits l'un pour l'autre.

Mais mon père n'a pas l'air disposé à attendre. Alors que je viens de retirer la robe que je portais pour le mariage, il frappe à la porte. Il semble si triste et soucieux que j'essaie immédiatement de le réconforter.

— Papa, je suis vraiment désolée, pour Jade. Je t'aime et je ne supporte pas de te voir souffrir.

Il hoche la tête, puis il dit, très nerveux :

— Dans ce cas, j'espère que tu vas approuver ma décision... Nous devons partir. Je ne peux pas rester une minute de plus à Buenos Aires.

— Je savais que tu allais faire ça ! je m'écrie. Tu n'as pas changé ! Tu diriges toujours la vie des autres à ta guise !

— Ça suffit, Violetta ! Tu es ma fille, tu ne peux pas me parler sur ce ton !

— Si tu veux fuir, Papa, va-t'en ! Mais moi, je reste !

— Il n'en est pas question ! Quand tu seras majeure, tu pourras faire ce que tu voudras. En attendant, c'est à moi que tu obéis, que tu le veuilles ou non.

Je suis tellement en colère que je le pousse hors de ma chambre. Comment peut-il me faire une chose pareille ? Je téléphone aussitôt à Angie pour tout lui expliquer. Peu de temps après, elle et ma grand-mère nous rejoignent à la maison, bien décidées à en découdre.

— Nous ne te laisserons pas l'éloigner de nous une nouvelle fois ! crie ma grand-mère. Si je dois saisir la justice, je le ferai !

— Calmez-vous ! intervient mon père. Je n'ai pas l'intention d'emmener Violetta pour l'éloigner de vous. Je veux

simplement la maintenir loin d'ici. Depuis que nous sommes à Buenos Aires, elle n'en fait qu'à sa tête ! Bien entendu, vous pourrez venir nous voir au Qatar quand bon vous semblera.

— Au Qatar ! s'écrie Angie. Tu l'emmènes à des milliers de kilomètres, et tu nous dis que tu ne veux pas l'éloigner de nous ?

— Mais Papa ! Je ne parle pas la langue et je n'y ai aucun ami ! Tu m'isoles une nouvelle fois pour que je ne puisse pas chanter ! Bravo, tu es vraiment très fort pour tout gâcher ! je lance en sanglotant.

C'est l'un des pires jours de ma vie. J'ai toujours voyagé d'un pays à l'autre, mais je ne laissais jamais rien derrière moi : ni ami ni famille. Aujourd'hui, quitter Buenos Aires signifie que je vais perdre tout ce qui est important pour moi, et ça me désespère…

Dès que je le peux, je retourne au Studio pour dire au revoir à tout le monde avant que mon père ne m'entraîne à l'autre bout du monde. Mais les couloirs sont étonnamment déserts. Soudain, j'entends une musique. Au même moment, mes amis et mes professeurs me rejoignent en chantant. Ce sont les meilleurs adieux que j'aie jamais reçus. Je ne peux pas m'empêcher de pleurer.

— Francesca nous a tout raconté, m'explique Antonio. Nous savions que tu allais venir ici. Nous voulions te faire une surprise et chanter une dernière fois avec toi, puisque tu ne seras pas là pour le spectacle.

J'en ai la gorge nouée. Quelle émotion ! Je me sens immensément aimée... mais aussi terriblement triste de perdre tout ça.

— Merci pour tout ! Vous allez beaucoup me manquer.

Pendant que je leur fais mes adieux, mes amis m'expliquent que les professeurs ont confié le solo final à Nata. Mais, malheureusement, elle a été victime d'un étrange accident. Elle a glissé sur un skateboard sorti de nulle part et s'est foulé la cheville. Du coup, c'est Ludmila qui va la remplacer, ce qui la rend encore plus prétentieuse.

Après avoir embrassé une dernière fois tout le monde, je quitte le Studio. Le ciel doit percevoir ma tristesse car, sur le chemin du retour, un orage éclate. Je suis trempée. Par malchance, je trébuche et tombe en arrière... dans les bras de Tomas !

J'ai l'impression d'avoir remonté le temps. On se retrouve là, à nouveau, sous la pluie. Je suis dans ses bras, comme lors de notre première rencontre. Les yeux dans les yeux, sans rien dire, on s'approche l'un de l'autre jusqu'à ce que

nos lèvres s'unissent en un premier baiser magique.

La pluie a cessé. Tomas m'aide à me relever, comme il y a si longtemps.

— Tu entends ? me demande-t-il à voix basse. Ce sont nos cœurs. C'est comme le premier jour...

— Non, c'est mieux... Cette fois, on s'est embrassés.

— Et c'est aussi merveilleux que je l'imaginais !

On se regarde, comme deux idiots, trempés mais heureux.

— Je ne laisserai pas ton père nous séparer, déclare Tomas.

Comme s'il nous avait entendus, mon père apparaît près de nous.

— Papa ! Qu'est-ce que tu fais là ? Je ne suis en train ni de chanter ni de danser. Je ne fais rien de...

— Pourquoi imagines-tu toujours le pire de moi ? m'interrompt mon père.

Je suis simplement venu ici pour voir Angie.

Je rougis, honteuse. Je lance un regard à Tomas. Il me caresse la joue en me disant au revoir, sans se soucier de ce que mon père peut penser.

— Très bien, je vais faire ma valise, je murmure. On se retrouve à la maison.

Dans l'après-midi, Camila et Francesca viennent me dire au revoir. Elles en profitent pour me raconter que Pablo et Antonio ont renvoyé Ludmila du spectacle. En effet, ils ont découvert sur une vidéo filmée par une caméra de surveillance que c'était elle qui avait placé le skateboard pour faire tomber

Nata. Son avenir au Studio ne tient qu'à un fil. Malgré tout ce qu'elle m'a fait, j'ai un peu de peine pour elle. Je sais à quel point c'est dur de voir son rêve s'évanouir.

Je passe mon dernier après-midi à Buenos Aires à bavarder et à me remémorer le passé avec mes deux amies. On se promet de rester en contact, et je leur donne ma parole que je reviendrai dès que possible.

Avant qu'elles ne partent, je trouve un moment pour parler à Francesca en tête-à-tête.

— Je voulais te dire que...

— Ce n'est pas la peine, m'interrompt-elle. Notre amitié est plus importante que tout ! Tomas, la musique, le Studio... tout cela passe après !

— Je t'aime, Francesca. Tu vas tellement me manquer... lui dis-je avant de la serrer dans mes bras.

Ce matin, mon père monte me chercher dans ma chambre.

— La voiture nous attend, Violetta. Tu es prête ?

— Non, Papa. Je ne serai jamais prête à abandonner tout ça !

Comme toujours, il ne m'écoute pas et prend mes valises, l'air grave.

Francesca, Maxi et Camila m'attendent près de la voiture pour me dire un dernier au revoir. Grand-mère et Angie sont là, elles aussi, ainsi que Tomas et Leon.

Je m'approche d'eux et leur prends la main.

— Vous m'avez demandé de prendre une décision. Je pense avoir enfin trouvé la réponse… Je vous aime tous les deux énormément. Vous êtes merveilleux ! Mais on est trop jeunes pour agir comme si c'était la fin du monde. On a toute la vie devant nous. On a encore tout à apprendre.

Je les dévisage en souhaitant qu'ils me comprennent. Finalement, Tomas me sourit.

— Tu vas beaucoup me manquer, Violetta, murmure-t-il.

— Tu seras très heureuse, j'en suis certain, ajoute Leon.

Je les embrasse et les regarde s'éloigner, le cœur brisé.

Alors que la voiture se dirige vers l'aéroport, Ramallo, Olga et moi ne cessons de rendre la vie impossible à Papa. Aucun de nous ne veut aller au Qatar. Mais mon père est têtu et il refuse de nous écouter. C'est terriblement dur pour moi. Je sais qu'en ce moment, mes amis s'apprêtent à monter sur scène pour le spectacle final, une représentation qui clôt une année d'amitié, d'études et de musique. Et moi qui vais tout rater !

À mi-chemin, je demande à Papa d'arrêter la voiture pour aller acheter quelque chose à boire. Je suis si malheureuse et fâchée que je ne supporte pas d'être enfermée avec lui.

Nous nous garons près d'un kiosque qui vend des boissons. Tandis que j'attends mon jus de fruit, des garçons se mettent à jouer du tambour sur le banc d'à côté. Je ne peux pas m'empêcher de danser. C'est fantastique ! C'est comme si toute la ville me disait au revoir.

Tout à coup, je réalise que mon père me regarde fixement, et je me dépêche de le rejoindre. La dernière chose dont j'aie besoin, c'est une nouvelle dispute. Je remonte en voiture et mets mes écouteurs pour ne plus rien entendre.

Quelques minutes plus tard, la voiture s'arrête. Papa en descend et m'ouvre la portière.

— Que se passe-t-il ? je demande, étonnée.

— Nous sommes arrivés, annonce mon père.

Je descends et observe autour de moi, surprise. Nous ne sommes pas à l'aéroport mais devant un théâtre.

— Je ne comprends pas, dis-je en regardant Papa. Qu'est-ce que c'est ?

— Ta vie.

Au même moment, mon père s'écarte et je découvre l'affiche à l'entrée du théâtre : c'est ici que se déroule le grand spectacle du Studio 21. Je n'en crois pas mes yeux.

Mon père sourit.

— Dépêche-toi, ma chérie ! Il ne faudrait pas que tu arrives en retard. Ton destin t'attend !

Lorsque j'entre dans la salle, mes amis se préparent pour la chanson finale.

— Violetta ! s'exclament-ils en me voyant. Que fais-tu là ?

— Mon père a fini par changer d'avis. Nous restons à Buenos Aires !

On s'embrasse, en riant et en pleurant à la fois, jusqu'à ce qu'Antonio vienne nous rappeler qu'il est temps de monter sur scène pour terminer le spectacle.

— Toi aussi, Violetta ! m'encourage-t-il.

— Un instant ! s'écrie Ludmila. Ce n'est pas juste ! Elle était partie, et maintenant, vous la laissez participer au spectacle ? Tout ça parce que c'est la nièce d'Angie !

— Tu sais très bien que ce n'est pas vrai, Ludmila ! réplique Pablo. Si tu continues, nous allons être obligés de te renvoyer !

— Non ! crie Ludmila, presque en pleurs. Je ne voulais pas que ça finisse

comme ça... Chanter, c'est aussi mon rêve ! C'est tout ce que j'aime. Je sais que quand je veux quelque chose, je perds un peu la tête... Pardonnez-moi !

Puis elle nous regarde et ajoute, entre deux sanglots :

— Je suppose que je n'ai que ce que je mérite...

Alors qu'elle fait demi-tour et s'éloigne, je la rappelle.

— Ludmila ! Monte sur scène avec nous !

Elle s'approche, incrédule. Puis je me retourne vers Antonio.

— S'il vous plaît ! je lui demande.

Antonio, ému, sourit en montrant la scène.

— Allez-y, les enfants !

Nous chantons pour la dernière fois cette année, tous ensemble, car ensemble... nous sommes plus forts !

BUENOS
AIRES
MADRID

L'année au Studio se termine. Mon père et moi restons à Buenos Aires. Nous avons tout l'été devant nous pour nous retrouver, sans tension ni mensonges. Jade est sortie de notre vie. Et qui sait ? Maintenant que nous ne partons plus, Angie et Papa finiront peut-être par se rendre compte qu'ils sont faits l'un pour l'autre.

Je sais que beaucoup de choses ne seront plus pareilles. Tomas m'a annoncé qu'il retournait en Espagne. Il a beau me dire que ça n'a rien à voir avec ma décision de ne choisir ni Leon ni lui, je n'en suis pas si sûre. En revanche, ce dont je suis certaine, c'est que si notre destin est d'être ensemble, nous nous reverrons.

La vie vient de commencer pour moi, cher journal, et je compte en profiter au maximum !

À très bientôt !

Violetta

Découvre très bientôt la suite des aventures de Violetta en Bibliothèque Rose !

Pour tout connaître sur ta série préférée, va sur le site :

www.bibliotheque-rose.com

BUENOS
AIRES
MADRID

Retrouve vite
Violetta et ses amis
dans les premiers tomes !

Tome 1
Dans mon monde

Tome 2
Un cœur à prendre

Tome 3
Chanter à tout prix

Tome 4
Du rêve à la réalité

BUENOS
AIRES
MADRID

TABLE

PAPIER À BASE DE
FIBRES CERTIFIÉES

hachette s'engage pour l'environnement en réduisant l'empreinte carbone de ses livres.
Celle de cet exemplaire est de :
500 g éq. CO_2
Rendez-vous sur
www.hachette-durable.fr

Photogravure Nord Compo - Villeneuve d'Ascq

Imprimé en Espagne par CAYFOSA
Dépôt légal : janvier 2014
Achevé d'imprimer : janvier 2014
20.4414.7/02 – ISBN 978-2-01-204414-2
Loi n° 49956 du 16 juillet 1949
sur les publications destinées à la jeunesse